예술의 힘

예술의 힘 THE POWER OF ART

마르쿠스 가브리엘 지음
김남시 옮김

일러두기

1. 단행본과 정기 간행물에는 겹낫표 『 』를, 작품명에는 홑낫표 「 」를 사용하였다.
2. 영어, 독일어 단행본은 이탤릭으로, 논문은 " "로 표시하였다.
3. 옮긴이 주는 '-옮긴이'로 표시해 두었다.
5. 본문의 볼드는 원서에서 강조한 부분이다.

누가, 내가 울부짖을 때, 천사의 질서로부터

내 외침을 들어 줄 것인가? 설령 그 천사 중 하나가

나를 갑작스레 끌어안는다 해도, 난 그의 강한

손재로 인해 몰락해 버릴 터. 아름다움이란

우리가 가까스로 버텨 내는 무시무시한 시작에 다름 아니기에.

우리가 이렇게 아름다움을 경애하는 건,

아름다움은 우리를 파멸시키는 것쯤은 아무렇지 않게 비웃기

　　때문이다. 모든 천사는 무시무시하다.

그래서 나는 숨죽인 채 어두운 흐느낌의 꾐을

꿀꺽 삼킨다. 아, 우리는

누구를 불러낼 수 있는가? 천사는 아니고, 사람들도 아니다.

영악한 동물들은 벌써, 우리가 해석된 세계에서 그리 편히 몸을

　　맡기지 못한다는 걸 알아차린다.[*]

---

* Rainer Maria Rilke, Die erste Elegie, *Duineser Elegien.*

예술의 힘

우리는 미학의 시대에 살고 있다. 모든 곳에 예술 작품이 있다. 게다가 예술과 단순한 디자인을 구분하기가 점점 더 어려워지고 있다. 예술 작품과 디자인 사물은 여러 모양과 형태로 나타나고, 예측하지 못한 상황에서 그 모습을 드러내는 경우도 많아졌다. 물론 당신은 여전히 미술관에서 미술 작품을 감상하고 음악회에 가거나 영화를 보러 갈 수도 있으며, 거기서 우연히 그 자체로서의 예술과 대면할 수도 있다. 또한 역사가 깊은 도시를 돌아다니기만 해도 디자인과 가장 깊이 연루된 전통 예술 중 하나인 정교한 건축물을 볼 수 있다. 혹은 주요 글로벌 도시의 럭셔리 백화점을 방문해 유행하는 제품들에 이끌리기도 할 것이다. 그 제품들은 사물을 개별적이고 특별하게 만드는 예술의 힘을 바탕으로 디자인된 것들이다.

일본에 가 본 사람이라면 심지어 음식도 예술의 형태일 수 있음을, 패스트푸드 소비가 지배하는 문화에서는 좀처럼 볼 수 없는 그 무엇임을 알아차릴 것이다. 겉보기엔 아무 미적 가치도 없는 먹거리를 제공하는 맥도널드조차도 그 진부성, 경우에 따라서는 그 음식의 실질적 해로움을 감추기 위해 예술과 미적인 것을 향유하려는 우리의 성향을 철저히 이용하고 있다. 실지로 현대 사회의 식품 산업은 우리의 생존에 필수적인 생화학적 영양소를 제공하는 것에 만족하지 않는다. 오히려 식품 산업은 소비자 커뮤니티를 사회적으로 엔지니어링하려는 목표를 위해, 우리가 꿈꾸어 오던 신화와 일화가 스며 있는 미식적 사물을 제공한다. 맥도널드 매장에서 열리는 아이들 생일 파티에 로널드 맥도널드 광대가 출연하는 것도 이 때문이다. 이런 유령의 목표는 평균 가격의 음식을 소비한다는 불유쾌한 경험을 신화의 가상을 매개해 미적 경험으로 전환하려는 것이다.

예술에는 다양한 쓸모가 있다. 이는 그 자체의 도덕적, 정치적 혹은 그 어떤 특정한 가치 자체가 아니다. 우리가 사는 현대 디자인 세계에서 예술은 우리의 소비 습관이라는 추한 모습을 은폐하는 꼭두각시, 허구적 겉치장으로 기능한다. 그렇지만 나는 이 책에서 예술 그 자체는 무엇인가의 가면이 아니라고 주장할 것이다. 현대 자본주의적 소비의 고도로 심미화된 장소들은 우리 생활 세계에 침투한 예술이 아니었다면 우리의 관심을 끌거나 행동을 유도하지 못했을 것이다. 그렇기에 예술의 번성은 간접적으로는, 인간 삶의 형식의 취약성에 대한 모더니티의 통찰을 무화시키는 해로운 기능도 갖는다. 일상 사물의 심미화가 안정화시키는 환영 덕분에 아름다운 물건들을 소유하려는 우리의 끝없는 욕망이 소멸되지 않고 남아 있는 것이다.

디지털 시대에 우리는 하드웨어(애플 제품은 전형적인 사례다)에서건 홈페이지 디자인이나 온라인 광고에서건 디자인이라는 형식으로 실현된 예술 작품의 지속적인 현존 속에 있다. 예술 작품은 모든 곳에 있다. 달리 말해 예술 작품의 매력allure은 도처에 편재하면서 연막의 기능을 수행하고 있다. 대중에게 촉발된 미적 경험은 물질적 에너지 구조의 환경 파괴적 소비를 아름다움과 숭고함에 대한 경험으로 변환시킨다. 간단히 말해 모더니티는 예술의 존재론적 자율성이 가진 해방적 힘을 한 땀 한 땀 흡수했다. 파리에 있는 루이뷔통 재단(프랭크 게리 설계)만 봐도 알 수 있다. 최근 여기서 대형 바스키아 전시가 열렸다. 어떤 분석가가 보아도 이 미술관과 이 전시의 상황은, 청중을 끌어들인 것은 블로뉴 숲이 아니라 목소리 없는 자들을 위한 바스키아의 목소리 표현이었다는 게 분명했다. 바스키아의 시각적 랩 미술rap art은 마케팅과 디자인을 위해서도 쓸모가 있었다. 재단 건축 공간에 있는 그의 작품은 그 주변의 관광 명소 아클리마타시옹 놀이공원과 같은 존재론적 수준의 매력으로 기능했다.

만연해 있는 예술, 그리고 예술이 미적이지 않은 목적에 사용되거나 남용되고 있다는, 그만큼이나 만연해 있는 걱정을 마주하며 나는 이 책에서 이런 질문을 던지고자 한다. 어떻게 예술은 그 예술의 척도에 지배되지 않는 인간의 현실을 상상하기 힘들 정도로까지 큰 힘을 가질 수 있었던 것일까?

우리를 둘러싼 사물들의 세계에서 예술은 규칙이지 예외가 아니다. 예술이 너무도 강력하게 지배하고 있어 사람들은 예술이 결국 더 강한 무엇인가의 표현은 아닌지, 무엇인가가 예술이라는 형태 속에 모습을 감춘 채 자신을 표현하고 있는 건 아닌지 의심한다. 우리 시대에 비밀리에 예술 세계를 작동시키는 세력으로 여겨지는 후보자는 당연히 자본(주의)이다. 마르크스주의적 의미에서의 착취구조에 기반한 부의 축적이 예술 세계와 그 생산물, 곧 예술 작품 같은 위장을 통해 보이지 않게 감추어진다는 것이다. 이 주장에 의하면, 심각하게 비대칭적인 착취 구조는 어느 정도 눈에 보이지 않게 되었을 때만 작동하지만, 때로는 공공연하게 보여 줌으로써도 그렇게 된다. 최근의 걸작 「하데스타운Hadestown」 같은 브로드웨이 뮤지컬에서는 종종 그런 일이 일어난다.

「하데스타운」에는 오르페우스와 에우리디케의 신화가 지하 세계의 신 하데스와 그의 주정뱅이 부인 페르세포네가 자행하는 착취 이야기에 결합되어 있다. 이 예술 작품은 말할 수 없이 완벽하다. 이 놀라운 작품을 네 번째 보러 갔을 때 어떤 청중이 표현했듯이 아름다운 "감동 그 이상"이다. 「하데스타운」은 신화의 존재론적 힘과 철저하게 미국적인 상상력의 이상적인 결합이다. 이 작품은 냉소적인 신이 지구 행성을 파괴하는 이야기를 들려준다. 하데스는 평범한 인간의 눈에는 보이지 않는다. 그런데 이 뮤지컬은 그 자신과 무관한 어떠한 해결책도 제시하지 않는다. 이 작품은 지하 세계 생산의 산업적 조건에 대항하는 반란이라는 텅 빈 판타지를 무대에 올림으로써 '세계가 그렇게 될 수 있는' 길을 보여 준다. 「하데스타운」은 관객이 개탄하는 바로 그 사회적·경제적 조건들에 그 생산이 편입되어 있으면서도 동시에 가장 강력한 현대 예술 작품의 하나로 끌어들여져 있기에 존재할 수 있었던 것이다.

사람들은 예술이 물질적 재화의 생산 조건들을 미적으

로 광택 나게 해 정확히 그 생산 조건들을 보이지 않게 하는 기능을 (대중적 어원학을 따르자면 하데스의 그리스어 $\Lambda\tau\delta\eta\varsigma$는 '보이지 않는 자'를 의미한다) 하고 있다고 의심한다. 예술 이론가는 물론 예술가들 사이에서도 너무나 잘 알려진 이러한 생각의 견지에서 보면, 헤겔이 말하는 "이념의 감각적 현현"[1] 이 물질적인 것의 감각적 광택[2]으로 바뀐 듯싶다.

만일 이 가설이 옳다면 우리는 전체로서의 예술은 물론, 예술은 당대의 사회, 정치, 경제 시스템에 내재된 다양한 구조적 폭력에 대한 저항의 기호라는 생각 역시 거부해야 할 것이다.

이 책에서 나는 이 가설을 논박할 것이다. 예술은 미적으로 위장한 채 자신을 표현하는 그 어떤 낯설고 낯설게 하는 세력에도 지배되지 않는다. 그 반대다. 예술 그 자체는 결코 지배될 수 없는 것이다. 그 누구도, 심지어 예술가조차 예술의 역사를 좌우할 수 없다. 나는 한 발 더 나아가 이렇게 주장한다. 예술 그 자체는 우리에게 특별한 관심을 두지 않고 우리를 지배한다고. 그 점에서 예술은 여러 예언가와 디지털 기술 성직자들이 두려워하는 슈퍼인텔리전스와 놀랄 만큼 유사한 위치를 점유하고 있다.[3]

라스코와 알타미라의 동굴 벽화 시대부터 예술은 인간

의 마음을 사로잡았다. 예술은 인간의 존재 자체에 내재되어 있다. 그뿐이 아니다. 예술이 출현했기에 우리는 인간이 될 수 있었다. 다시 말해 예술 덕분에 우리는 자신의 삶을 인간 존재라는 이미지의 견지에서 영위하며 동물, 식물, 행성, 그들 종과 이어지는 동물들 사이에 위치해 살아가는 존재가 되었다.[4]

말하자면 이렇다. 과학이 우주에서 우리의 장소를 이해하는 데 도움을 주기 전에, 인간은 자신이 사물의 질서 내에서 형이상학적으로 특권화된 장소를 점유하고 있다고 믿었다. 이런 특별한 지위는 전통적으로 신들의 관념, 그 후에는 유일신 관념에 기초해 있었다. 하지만 '신의 죽음' 이후에도, 포스트모던적 의미에서 신이 더 이상 인간 개념에 중요한 역할을 하지 않게 된 후에도 (여전히 일정한 수의 사람들에게는) 신화적 시대의 흔적이 남아 있다. 무엇인가가 우리를 구별짓는다는 생각이 그것이다. 그로부터 우리 자신이 [다른 존재와] 구별된다고 생각하는 우리의 능력이 실지로 우리를 구별하게 하는 일이 생겨났다. 우리가 아는 한 어떤 다른 동물도 우주에 대한 이론을 제시하지 않는다. 우리 선조들의 휴머니즘을 영속시키는 일이 여전히 정당한 이유도 여기에 있다. 인간 존재는 인간 이외의 동물의 왕국과 정신을 가지지 않고 사유가 없는 우주와는 구별되는 특별한 종이다. 인간 정신의 역사의 개시를 촉발시킨 사건이 일어났기 때문이다. 이 에세이에서 나는 인간성, 특별한 종으로서의 우리 자신에 대한 개념의 근원에는 예술이 있다는 생각을 제안할 것이다.

'인공 지능artificial intelligence'이라는 용어 속에 예술art 개념이 포함된 건 우연이 아니다. 하지만 지금까지 우리가 알아차리지 못한 건 우리 인간 존재가 늘 인공 지능이었다는 사실이다.[5]

인간의 생각은 우리의 선조가 만든 인공물들(도구, 회화, 보석, 문신, 옷)에 의해 모습을 갖추어 왔다. 이런 물건들이 인간의 상상을 점령하고, 그것이 다시 물건들을 변형하기 시작했다.

우리의 상상력을 지배하는 힘은 우리를 지배하는 절대적인 힘을 갖는다. 역사는 근본적으로 예술의 역사이고, 예술의 역사는 그것을 지배하고자 시도하는 어떤 행위자나 제도적 기관보다 더 큰 힘을 갖는다. 그렇기에 영속적인 힘을 갖는다는 신 관념은 최상의 판타지다. 신이 인간의 상상력 외부에 실제 존재하느냐 아니냐는 그리 중요한 문제가 아니다. 평범한 무신론자들이 말하듯 신이 인간의 상상력 너머에는 존재하지 않는다 해도 신에 대한 관념은 여전히 마음속에 가득하다. 시공간의 물질적 실재에 그것을 재현하는 것이 없더라도 관념은 엄청나게 큰 힘을 갖는다. 숫자나 기억을 생각해 보라. 우주 어디에서도 숫자를 볼 수는 없다. 3이라는 숫자는 어디에도 거주하지 않는다. 기억도 마찬가지다. 기억은 사실주의 사진 같은 존재론을 갖지 않는다. 그럼에도 불구하고 이런 숫자와 기억이 없다면 인간 사회도 없을 것이다. 사회는 본질적으로 인간의 상상력에 얽매여 있다.[6]

상상력의 역사는 순수한 실수들의 역사가 아니다. 무엇인가를 상상하는 것은 오류를 저지르는 것이 아니다. 상상은 무^{nothingness}가 아니다. 사르트르가 생각한 것과는 반대로 상상의 기능은 무를 존재로 가져오는 역설이 아니다.[7]

상상력은 어떤 방식으로든 실재를 초월하지 않는다(그럴 수 있는 건 아무것도 없다). 상상력 그 내부에서만 실재를 변형시킬 수 있을 뿐이다. 우리가 상상하는 것은, 적어도 우리가 그것을 상상한다고 하는 바로 그 정도만큼 실재적이다. 그렇지 않다면 꿈을 꿀 때마다 우리는 실재를 떠나게 될 것이다. 꿈, 몽상, 그리고 예술 작품에 의해 활성화된 미적 경험은 우리를 실재적인 것과 관계 맺게 한다. 예술 작품이나 꿈속에서 재구성된 기억이 실재에 추가되기 때문이다. 예술 작품이나 기억이 실재로부터 앗아 가는 것은 아무것도 없다.

상상은 그 자체로 실재의 한 영역이다. 리처드 도킨스나 대니얼 데닛 같은 마르크스주의자와 네오-무신론자들처럼 신은 상상의 산물이라 주장하는 것이 정작 종교에는 별다른 타격이 되지 않는 이유도 여기에 있다. '신'이란 모든 것 중에서 가장 힘이 센 관념, 난공불락의 핵, 상상의 심장의 이름이기 때문이다. 모두가 알고 있듯 그 절대적인 기준에서 오늘날처럼 지구상에 많은 신앙인이 있던 적이 없다. 신은 죽지 않은 것이 확실하다. 아니, 신은 죽어 가고 있지도 않다.

잊지 말라. 모든 일신론적 종교는 인간이 신의 이미지 속에서 창조되었다고 가르친다. 말하자면 인간은, 컴퓨터에 소프트웨어를 깔듯 신체에 장착된 일종의 인공 지능이라는 것이다. 그렇기에 인간이라는 관념은 인공 지능의 관념이며, 고로 예술 작품의 관념이다.

우리는 최근 일상의 사물들이 점점 심미화되는 것을 목격하고 있다. 오늘날 우리가 자동차, 집, 스마트폰 등을 사는 이유는 그 사용 가치 때문만은 아니다. 디자인, 예술, 그리고 아름다움의 전략적 제휴가 우리를 명품의 소비자가 되도록 유혹한다. 동시에 1960년대 이래 예술 자체가 그 가장 순순한 형식에서도 경제적 상품이 되어 가면서, 그 천문학적인 교환가치는 점점 확장되는 시장의 변덕에 의해

측정되게 되었다.[8]

예술 시장은 힘과 예술의 전통적인 연합을 넘어 몇 단계 더 나아간다. 모더니티의 고전적 형식에서 예술은 권력을 과시하고 공공 영역의 상징적 질서를 구조화하는 역할을 해 왔다. 르네상스 시대의 후원자와 프랑스 궁정은 말할 것도 없고, 모든 시민에게 개방된 민주적 미술관도 예술을 그 내적이고 자율적인 구조를 넘어서는 맥락에서 이용하려 했다.

예술 이론가 볼프강 울리히는 예술은 늘 권력과 정치에 종속되어 왔기에 현대 예술은 순수하게 예술을 위한 예술로 이해될 수 없다고 주장한다. 그는 예술이 창조되고 전시되는 맥락이 예술 자체보다 더 강력하며 예술은 자율적 본질을 갖지 못한다고 주장한다. 나는 울리히가 틀렸다고 생각한다. 예술은 자율적 본질을 가지며, 이 본질은 다른 세력들과 지속적으로 갈등을 겪는다.

최근에는 슈퍼 부자들이 예술 소유자와 딜러라는 새로운 엘리트가 되었다. 이로 인해 오래된 질문이 다시금 더 날카로워진 형태로 제기되었다. 예술과 힘은 도대체 어떤 관계일까? 그 자체로는 미적으로 중립적인 세력이 예술을 지배하고 있는 건가? 예술은 자율적이기는 한가? 아니면 예술은 그 존재는 물론 미적 내용에 있어서도, 예술 작품을 통해 이데올로기적 가면을 쓰고 드러나는 악랄한 세력에 종속되어 있는 것은 아닌가?

이 책에서 나는 오히려 힘을 지배하는 것이 예술이라는 조금 놀랄 만한 주장을 하려 한다. 예술의 자율성은 너무도 막강하여 이른바 예술계가 아무리 용을 써도 예술을 지배할 수 없다는 것이 예술 작품의 본성이다. 이러한 예술의 자율성이 예술을 예술계로부터 특별히 구별 지으며, 예술계는 예술의 본성을 규정하는 데 어떤 발언권도 갖지 못한다. 존재론적으로 볼 때 예술의 본질이 예술계에 대해 갖는 관계는 소수(素數)의 본질이 수학 공동체에 대해 갖는 관계와 같다. 수학적 성취를 인정해 줄 수 있는 사회적 조건은 소수의 본질에는 아무 영향도 미치지 못한다. 오히려 소수의 본질이 무엇이 수학적 성취로 인정될 것인가에 영향을 미친다. (만일 소수가 다른 본질을 갖는다면 수학적 성취의 인정은 지금과는 다른 모습일 것이다.) 이는 예술의 본질과 예술계의 관계에서도 마찬가지다.

수학자라고 해서 전문가들의 동의만으로 그들 명제의 진실을 만들어 낼 수는 없다. 최고의 수학자들은 전문가들이 동의했다는 이유로 그들의 정리(定理)가 주어진 형식적 시스템의 공리(公理)로부터 도출된다는 사실을 만들지 않는다. 그 누구도 그렇게 사실을 만들어 낼 수는 없다. 실재론의 이러한 기본적인 통찰이 미학(예술 이론)에서도 타당한 이유를 이해하기 위해서는 예술에 대한 당대 철학의 주류를 뒤집어 보아야 한다. 그러기 위해서는 예술, 그리고 힘과 예술의 관계를 바라보는 방식에 근본적인 결함을 초래하는 가정에서 벗어나야 한다.

내가 생각하는 범인은 예술의 가치가 관람자의 눈에 달려 있다는 관점이다. 이를 해체하기 전 이 가정에 이름을 붙여 주자. 바로 '미적 구성주의aesthetic constructivism'다. 미적 구성주의는 예술 작품이 미적이거나 예술적이지 않은 세력에 의해 존재하게 된다는 믿음이다.

미국의 철학자 아서 단토는 그의 영향력 있는 에세이 「미술계」에서 미술 작품은 본질적으로 미술계의 한부분이라고 지적했다.[9] 미술계는 미술가, 미술 비평가, 미술관, 미술품 딜러, 미술사가뿐 아니라 미술가에 의해 작품으로 변하는 원재료 생산자까지 포함된다. 단토는 미술 작품은 이 미술계 외부에 존재하지 않는다고 믿는다. 미술 작품을 미술 작품으로 만드는 것이 미술계라는 것이다.

간단한 사례를 들어 보자. 당신이 모스크바 트레티야코프 미술관에서 말레비치의 「검은 사각형」을 보고 있다고 상상해 보라. 다음에는 콘텍스트를 바꿔 어떤 공장에서 신무기 생산에 사용되는 것이라는 점만 빼면 모든 면에서 말레비치의 「검은 사각형」과 완전히 똑같아 보이는 일련의 물건들을 본다고 상상해 보라. 이 물건은 예술 작품으로 기능하기 위해 디자인된 것이 아니다. 이 간단한 사고 실험을 통해 단토는 그의 유명한 기본 입장을 설명한다. 즉 아무리 예술 작품처럼 보이는 물건일지라도 그것이 등장하는 콘텍스트가 없다면 예술 작품이 아니라는 것이다. 콘텍스트, 즉 미술계가 「검은 사각형」처럼 지각할 수 있는 사물을 실지로 미술 작품이라고 결정하는 데 궁극적 책임이 있다는 것이다.

우리의 대안적 관점을 제시하기 전에 먼저 단토의 주장을 지지하는 것처럼 보이는 다른 유명한 사례를 검토해 보자. 바로 뒤샹의 「샘」이다. 소변기 같은 발견된 오브제object는 미술계의 콘텍스트 내에서만 미술 작품이 된다는 관찰로부터 작품의 해석에 착수하는 대표적인 방식이다. 미술관 화장실에 있는 소변기와 뒤샹 전시회에 놓인 소변기의 차이는 물질적인 데 있지 않다. 물질적 차원에서 두 소변기는 구별되지 않을 것이다. 둘 다 같은 공장에서 같은 목적으로 생산되었기 때문이다. 그런데 미적 구성주의에 의하면, 그중 하나는 마욜 미술관에 전시되고 다른 하나는 욕실용품점에서 구매할 수 있다는 사실 자체가 미술 작품의 지위를 결정한다.

오늘날, 단토의 더 세부적 논증들의 혼종적인 변이들은 잠재적으로 상식으로 통한다. 겉보기에는 쉽게 만들 수 있는데도 현대 미술이 특별한 지위(그리고 시장 가치)를 얻는 건 오로지 자격 있는 사람과 제도에 의해 전시, 상찬, 해석, 구매, 생산, 판매되기 때문이라는 주장을 우리는 흔히 듣는다. 달리 밀해, 예술은 그 자체가 아니라 그 콘텍스트에서만 가치를 갖는다는 것이다.

분명한 점은 이것이 그만큼 유명하면서도 그만큼 잘못된 경제적 가치에 대한 환원주의적 이론이라는 사실이다. 이 이론에 따르면 통화의 교환 비율은, 말하자면 협상 과정의 기능에 다름 아니다. 5파운드짜리 지폐는 그 자체로 5파운드만큼의 값어치를 갖지 않는다. 다시 말해 지폐를 만드는 데 들어가는 종이, 잉크 등의 가치는 5파운드에 상응하지 않는다. 당신이 5파운드짜리 지폐로 무엇을 구매할 수 있는가는 교환 비율 그리고 그 지폐와 교환할 수 있는 다양한 유형의 상품에 다소 자의적으로 부여된 가치에서 나온다. 이것은 그 핵심에 있어 사용 가치와 교환 가치라는 유명한 마르크스주의적 구분으로도 이어진 추론이다. 배가 고프면 5파운드로 구매한 음식을 먹을 수 있지만, 5파운드짜리 지폐를 먹고는 그리 큰 만족을 얻을 수 없을 것이다.

교환 가치는 공급과 수요의 법칙에 따라 변화한다. 그

런데 돈은 경제의 콘텍스트 내에서만 교환 가치를 갖는다.[10] 우리는 돈이 가치를 갖는 건 많은 힘 있는 사람들과 제도가 그렇게 믿도록 우리를 설득했기 때문이라고 여긴다. 그도 그럴 것이 이 종이돈, 싸구려 코인, 플라스틱 신용 카드가 교환 가치를 갖는다고 우리가 믿지 않는다면 그것으로 우리가 무엇을 할지 예견하기 힘들기 때문이다.

뒤에서 나는 미적 구성주의를 지탱하는 이런 가정들을 급진적 대안으로 바꿀 것이다. 그 대안은 새로운 실재론을 예술 철학에 적용하는 것이기에 새로운 미적 실재론이다. 현재 철학에서의 전 지구적 흐름인 새로운 실재론은 실재가 인간 마음(담론, 권력구조, 믿음, 신경조직/뇌 또는 당신이 가진 것)에 의해 구성된 것이라 보는 입장에 본질적으로 반대한다.[11] 실재가 구성된 것이라고 의심할 만한 타당한 이유가 없다면 왜 예술 작품이 구성된 것이라는 생각에 집착하겠는가?

예술을 구성주의의 관점에서 바라보는 이 광범위한 경향을 무너뜨리려면 우선 상기해야 할 것이 있다. 성공적인 예술 작품을 정의하는 특징인 아름다움은 예술과 예술 철학의 거의 전 역사에 걸쳐서, 인간에 의해 생산된 것으로 사유되지 않았다는 사실이다. 플라톤과 아리스토텔레스로 거슬러 올라가는 전통에서 예술 철학은 실재 자체에서 실재적 아름다움을 찾는 데 몰두해 왔다. 그러니 누가 예술 작품이 구성된 것이라고 생각했겠는가.

　미적 구성주의를 지탱하는 동기는 지금도 인류를 사로 잡고 있는 세계관인 근대 니힐리즘이다. 근대 니힐리즘은 실재 그 자체는 (가장 최상으로는) 오직 자연 과학의 대상일 뿐이라고 주장한다. 그에 따르면 저기 실세로 있는 것, 곧 실재적인 것은 우리 감각에 직접 나타나지 않는다. 근대 니힐리스트에 의하면 우리의 감각은 결코 실재를 그 자체 속에서 밝히지 못한다. 오히려 감각은 실재를 왜곡하고 숨긴 다. 니힐리스트에게 실재 세계는 공허 속의 원소 분자들의 순수한 물리학으로 이루어진 무채색의 세계다. 만일 물리학이 묘사하는 것만이 실재적이라면, 이로부터 즉각 예술 작품은 실재의 부분이 아니라는 결론이 도출된다. 본질적으로 우리의 감수성에 호소하는 예술 작품은 그 작품을 이루는 물질 재료로 환원될 수 없기 때문이다.

　모네의 「인상, 해돋이」는 그저 오래된, 물질 재료들의 배열이 아니다. 그것은 필연적으로 인상을 만들어 내고, 우리의 감수성에 인상을 남긴다. 그 작품을 여러 시점에서 더 자세히 들여다볼 때마다 그 작품이 우리에게 주는 효과는 더 커지면서 사물을 다르게 보게 하는 예술의 힘을 더 잘 이해하게 된다. 마치 모네는, 그가 생산하지는 않지만 관람자에게 드러내 보여 주는 그 실재에 접근할 수 있었던 것 같다. 모네는 회화를 만들어 낼 수는 있지만, 그 회화의 최상의 미적 가치를 우리가 이해하게 하는 조건들을 생산하지는 않는다. 미적 가치는 우리가 생산하는 것이 아니다. 모네가 나의 인상, 나의 심리적 상태를 생산할 수는 없다. 예술가는 작품을 감상하는 내가 얻는 미적 경험을 예견하지도 생산하지도 못한다. 한 작품의 관람자가 그 작품과 대면해 무엇을 경험하게 될지를 정확하게 내다볼 수 있는 사람은 아무도 없다.

모네가 아름다움을 생산했다고 말하는 건 무의미하다. 기껏해야 그는 아름다운 무엇인가를 생산했을 뿐이다. 여기에서 말하는 '아름다운' 혹은 '아름다움'은 '추한'과 '추함'의 반의어인 미적인 규범을 말하는 것이다. 비예술적 규범에 따르면 추한 것(예를 들어 피카소가 그린 여인의 드로잉)도 예술 철학의 의미에서는 아름다울 수 있다. 아름다움은 인간이라는 동물이 감지할 수 있는 무엇인가로 환원되는 심리적 구성물이 아니다. 새로운 미적 실재론에 따르면 아름다움은 성공을 말하는 것이다. '아름다움'이란 미적인 성공의 이름일 뿐이며 '추함'은 미적인 실패의 다른 극단이다. 예술 작품의 생산과 수용의 콘텍스트 바깥에서 무엇이 아름답거나 추하다고 간주되는가는 존재론적으로 예술적 가치에 대한 논의와 직교한다.

　　다른 말로 하자면, 우리는 아름다움의 경험을 통상적으로 그것과 결합되어 있는 즐거움과 구별해야 한다는 것이다. 아름다움과 즐거움을 나누는 『판단력 비판』에서 칸트의 유명한 구분은 이러한 통찰에서 나온 것이다. 하지만 아름디움이 보는 자의 눈에 있나는 관섬을 견지하는 칸트에게는 문제가 있다.

미학과 지각

  근대 철학, 그중에서도 임마누엘 칸트와 18세기 그의 전임자들(대표적으로는 데이비드 흄)이 예술 철학을 미학으로 변형시켰다는 건 상식에 속한다. 미학은 지각의 문제를 다루는 학문이다. 거칠게 말하자면 칸트는 예술 작품(혹은 아름답거나 숭고한 건 무엇이든)은 우리가 지각하는 방식에 대해 무언가를 알려 준다고 주장한다. 이 맥락에서 보면 예술 작품을 지각한다는 건 지각을 통해 지각에 대해 무언가를 알게 됨을 의미한다. 아름다운 대상은 "능력의 자유로운 유희"[12]라는 정신의 특이한 상태를 촉발하는데, 우리는 '이것은 아름답다'라는 판단을 표명하지만 그 판단은 대상에 대한 것이 아니라 대상에 대한 우리의 관계에 대한 것이다. 불행하게도 칸트는 이후 '미적 경험'이라 불릴 것을 (무관심적) 즐거움의 형식과 동일시하는 경험주의적 전통을 계승한다.

이것은 대상이나 사람은 그 자체로 아름다운 것이 아니라 아름다움은 보는 자의 눈에 있다는 진부한 견해의 칸트식 버전이다. 물론 우리 모두는 우리가 사랑하게 된 사람을 아름답다고 여기고 그 관계가 사라지면 그 콩깍지도 날아가 버리기 십상인 현상에 익숙하다. 또한 우리는 사랑에 빠진 사람이 그 정념의 대상을 변형시키는 경우를 목격하기도 한다. 칸트는 이 구조를 이용하여 투사라는 우리의 메커니즘을 지배하는 원리에 관해 설명함으로써 단순한 주관주의를 피하려고 한다. 곧, 그에게는 (우리의 정신적 능력들의 구조와 주어진 정황에서 그 정신 능력들 간의 상호 작용 같은) 보는 자의 보편적 구조가 미적 판단의 혼종적 객관성을 보장한다. 미적 판단은 현상계의 외적 세계에 대한 우리의 지각적 관계에 관여하는, 주관성의 보편적 구조에 대한 관계 덕분에 객관적이라는 것이다.

여기까지는 수긍할 만하다. 칸트는 이런 관찰을 흥미로운 방식으로 뒤틀어 예술 작품은 그 자체로서의 실재(잘 알다시피 칸트가 우리는 접근 불가능하다고 주장한)에 대해서는 아무것도 말해 주지 않으며, 그것이 알려 주는 건 실재를 파악하는 우리의 방식이라고 말한다. 즉 한 예술 작품을 적

절하게 해석할 때 우리가 알게 되는 건 우리가 보고 듣고 맛보는 방식, 달리 말하면 우리의 감각 방식이라는 것이다.

베르나르 뷔페의 부엉이는 그냥 부엉이 그림이 아니라 우리가 부엉이를 그리는 방식에 대한 그림이라는 것이다. 이에 따르면 한 예술 작품이 성공했다고, 그것이 예술로서 탁월하다고, 곧 한 예술 작품이 아름답다고 말하는 건 우리가 부엉이 같은 사물을 보는 방식에 대해 무언가 알게 되었음을 의미한다. 미국 텔레비전 드라마 「트윈 픽스Twin Peaks」에 나오는 유명한 대사를 가져와 말하자면 "부엉이처럼 보인다고 해서 부엉이는 아니"라는 것이다. 예술 작품 속에서 부엉이는 부엉이가 아니며, 르네 마그리트가 유명한 「이미지의 배반」에서 제시하듯, 파이프는 파이프가 아니다.

지금도 지배적인 칸트적 전통에 따르면 그림으로 그려진 부엉이는 다른 종류의 (새로 발견된 종의) 부엉이가 아니다. 이러한 시시한 관찰에서 시작해 칸트적 전통은 예술 작품은 결코 실재(부엉이, 게르니카의 폭격, 파리의 대로)에 대한 것이 아니라 그저 실재를 지각하는 우리의 방식에 대한 것일 뿐이라고 주장한다. 칸트는 예술을 예술이 관람자에게 일으키는 효과로 환원하는데 이렇게 하면 예술 그 자체가 어떻게 우리의 미적 경험에 대해 힘을 발휘할 수 있는지 알기 힘들어진다. 칸트적 틀에서 예술 작품은 다른 모든 대상과 마찬가지로 그것에 대한 우리의 지각에서 물러난다. 미적 판단과 비미적 판단의 차이는 아름다운 대상에 대한 우리의 향유에서 작동하는 추가적인 주관적 매개 변수에서 나온다는 것이다.

이런 생각이 맞을 리 없다는 점에 주목하자. 예술 작품은 부엉이, 파리의 대로, 손톱, 북극곰, 에마뉘엘 마크롱과 마찬가지로 실지로 현실에서 발견되는 것이기 때문이다. 인간의 지각도 마찬가지다. 인간의 지각은 현실과 다른 어떤 곳에서 현실을 굽어보거나 그것을 관통하면서 행해지는 것이 아니다. 칸트적 기획의 출발점은 대상을 (현상적인) 현실 속에 놓고 주체(생각을 생각하는 자)를 객관적 현실의 외부에 위치시키는데, 이는 근본적으로 잘못된 것이다. 그것은 우리가 우리 지각의 대상과 같은 영역에 존재하고 있음을 설명할 수 없다. 지각하는 주체가 전자기장 속에서의 현전에 엮여 있지 않다면, 우리는 글자 그대로 아무것도 지각할 수 없을 것이다.

우리가 대상들을 지각할 수 있는 건 우리가 그 대상들과 같은 영역, 나의 철학적 용어로 말하자면, 같은 의미장 Sinnfeld에 존재하기때문이다.[13] 거칠게 말하면 의미장은 일정한 방식으로 드러나는 대상들의 앙상블이다. 예를 들어

파리는 지하철, 시청, 도시 규정, 건축, 레스토랑, 냄새, 관광객, 노트르담, 날씨, 하수구, 교외 등 각각의 대상이 역할을 수행하는 하나의 구조다. 이 대상들은 서로 다른 방식으로 나타난다. 예컨대 어떤 규제들은 음식 생산을 지배하고, 지하철은 사람을 실어 나르며, 건물은 우리의 움직임을 구조화하는 식이다. 그 결과 파리는 다양한 방식으로 의미를 갖는다.

의미장은 무한하다. 대상들을 보는 방식 또한 무한하다. 그건 우리가 현실을 이런저런 방식으로 관찰하기 때문이지만, 그것이 유일한 이유는 아니다. 현실 자체가 무한하게 복잡하기 때문이다. 이는 수학에서 무한의 존재로부터 우리가 추론할 수 있는 사실이다.[14] 대상들의 조합, 그들의 조직과 재조직은 무한하다.

의미장은 우리가 눈앞에서 마주하는 대상들의 조직이며, 우리는 어떤 방법으로든 그 장 안에 존재한다. 잊지 말아야 할 것은 우리가 모든 의미장의 저자가 아니라는 사실이다. 우리는 우주의 숫자나 수학적 진리는 말할 것도 없고 소립자의 질량도 스핀도 생산하지 않는다.* 존재하는 모든 게 생산물인 것도, 인간 산업의 인공물인 것도 아니다.

---

* 양자 물리학에서 스핀은 질량이나 전하와 마찬가지로 소립자의 내적인 속성 중 하나다.

상당한 수의 대상과 의미장은 그저 거기에 있다. 우리가 결코 바꿀 수 없는 현실의 냉혹한 사실들로서 말이다. 그렇기에 우리는 실재를 한쪽의 정신과 다른 한쪽의 세계로 분류할 수 없다. 오히려 우리는 정신이 의미장이라는 걸, 정신은 이 실재에 능동적으로 연루되어 있다는 걸 이해해야 한다. 그럴 때만 비로소 '정신-외부적' 실재라는 판타지, 곧 우리 정신에 외적이면서 존재한다는 것과 실재적이라는 것이 의미하는 바의 기준을 설정한다는 그런 실재에 대한 판타지를 제거할 수 있다. 그 판타지가 우리로 하여금 예술의 힘에 무지하게 하는 잘못된 편견이기 때문이다.[*]

칸트 미학의 핵심 전제는 근대 철학이 저지른 기초적 실수를 공유한다. 즉 정신과 세계를 대립시키고는 '저 바깥에 있는' 세계야말로 '관찰자가 없는' 진정한 세계라고 믿는 것이다. 이러한 맥락에서 칸트는 지각 가능한 현실 속에 있는 예술 작품과 아름다운 대상들 덕택에 지각 가능한 현실 외부에 있는 존재로서의 우리 자신에 대해 알게 된다고 가정한다. 하지만 우리가 물리적 현실 속에 있는 감각적 신

---

[*] 나는 모든 것이 정신적이거나 어떤 식으로든 정신 속에 있다고 말하는 게 아니다. 물론 일부의 실재는 정신-외부적이고, 그런 의미에서 외적인 실재를 형성한다. 하지만 이러한 외적 실재는 단적인 실재와 같은 것이 아니다. 이것은 실재의 하나의 확장일 뿐이고, 무한하게 많은 의미장 중 하나의 의미장이다.

체이기만 한 것이 아니며 인간 존재는 본질적으로 감각적 영역을 초월한다는 것을 받아들인다고 해서, 이로부터 예술 작품이 지각 가능한 현실에 묶여 있지 않다는 잘못된 생각으로 나아가서는 안 된다.

여기서 '지각'의 의미에 관한 질문이 생겨난다. 그렇다면 지각이란 무엇이고, 그건 예술과 어떤 관계를 맺는가?

여기서 우리는 두 가지 모델을 구별해야 한다. 첫 번째 잘못된 모델은 현상학적 전통이 전형적으로 보여 주고 있으니 현상학적 모델이라 부르자. 이 모델에 따르면 지각 대상은 우리에게, 에드문트 후설이 이 현상에 붙인 유명한 용어대로, 소위 사영(斜影, Abschattung) 혹은 프로필을 제공한다. 다시 말해, 일정한 시점에서 책상을 보는 나는 그것과는 다른 시점들을 가리게 된다는 것이다. 그렇기에 우리는 지각을 통해서는 결코 책상 전체를 포착할 수 없다. 책상을 시각적으로 떠올릴 수 있는 유일한 길은 대상에 대한 하나의 시점을 부각시킴으로써 우리의 지각에 대해 책상 전체를 모호하게 만드는 것이다.

이 모델의 근본 문제는 우리가 대상을 실제로 혹은 직접적으로 지각할 수 있음을 부정하는 사람들에게 논거를 제공함으로써 회의주의를 발양시킨다는 것이다. 이런 맥락의 회의주의는 지각에(만) 기초해서는 우리는 결코 대상을 실지로 알 수 없다고 주장한다.

특이하게도 최근 '사변적 실재론'이라는 타이틀 아래 모인 철학적 관점의 다수는 현상학을 제거하려 하면서도 정작 현상학으로부터 이런 회의적 특징을 빌려 오고 있다. 예를 들어, 현대 프랑스 철학자 퀑탱 메이야수는 영향력이 큰 『유한성 이후』라는 책에서 지각에 토대를 둔 지식(혹은 지각적 지식)에는 어떤 역할도 주지 않으면서 실재는 원리적으로 지각될 수 없는 것이라고 정의한다. 이와 유사하게 현대 미술계에서 광범위하게 읽히고 있는 저자 그레이엄 하먼은 우리가 대상들 자체에 대해 무엇인가 알 수 있음을 부정한다. 지각 속에서 대상들은 그것을 포착하려는 우리의 시도로부터 벗어나기 때문이라는 이유에서다.[15] 예술철학에 적용해 보면 이는 미학은 우리로 하여금 예술이 실로 무엇인지를, 나의 용어로 말하자면, 그 자체로서의 예술을 결코 접하게 해 줄 수 없음을 의미한다. 현상학적 모델을 따르자면, 그 자체로서의 예술은 실재의 부분이 아니라 있는 그대로의 사물을 지각할 수 없는 우리의 무능력을 축복하는 장면일 뿐이다.[16]

현상학은 그 밑바탕에서부터 우리의 감성을 멸시하고 그로 인해 우리가 실재와 접하는 방법을 설명할 때 감성에 지나치게 적은 역할을 부여한다. 이로부터 (일부 유명한 현상학적 선언은 그 정반대임에도 불구하고) 우리는 실지로는 대상을 지각할 수 없다는 회의적 입장이 나온다. 그런데 이 입장은 근본적으로 틀렸다. 사실상 우리가 대상을 지각할 수 있고, 지각 덕분에 많은 것에 대해 알게 된다는 명백한 이유 때문이다. 내가 책상을 보거나 날 놀래 주려는 아내의 발소리를 들을 때 내가 지각하는 건 책상과 내 아내이 발소리다. 마찬가지로 피카소의 「비둘기」를 지각할 때 내가 지각하는 것은 피카소의 「비둘기」다.

물론 오래된 책상을 지각하는 것과 올가 노이비르트의 곡을 듣거나 피나 바우슈의 「아리앙^{Arien}」을 보는 것에는 근본적인 차이가 있다. 뒤에서 말하겠지만 그 차이는 대상에 있을 뿐 주체에 있는 것은 아니다. 다시 말해 그 차이는 우리가 지각하는 것에 있을 뿐 우리의 지각에 있는 게 아니다. 예술 작품은 범주적으로 일상적인 대상, 과학 혹은 그 밖의 대상들과는 다르다. 예술 작품은 스스로를 지각하는 방식으로 지각과의 관계에 진입하기 때문이다. 어떤 의미에서 예술 작품은 자기 자신에 대해 사유하는 역량을 가지고 있다. 그 역량은 우리가 예술 작품에 대해 사유할 때 표현된다. 예술 작품은 예술 작품에 대한 우리의 관계 덕택에 본질적으로 자기 자신과 관계한다. 예술 작품에 대한 우리의 미적 경험에 의해 예술 작품이 자기 자신과 관계하는 것이다.

간단하면서도 유명한 사례를 통해 이를 설명할 수 있다. 로댕의 「생각하는 사람」은 일정한 형태를 가진 청동 조각상의 모습을 하고 있다. 청동은 생각하지 않는다. 당신이 떠올리는 청동 조각상이 지각 능력을 가지고 있지 않다는 것도 마찬가지로 분명하다. 하지만 당신이 이 기이한 작품이 의미하는 바가 무엇일까라는 질문을 스스로에게 던지는 순간, 청동 조각상은 당신으로 하여금 생각하게 한다. 그 작품이 당신 내부에 생각의 흐름을 촉발시키고 그것을 통해, 말하자면, 자기 자신을 생각하기 시작한다는 것이다. 예술은 우리의 신경 시스템과 정신을 이용해 자신을 실현한다. 꽤나 역설적으로 들리는 이 말이 무엇을 의미하는지를 뒤에서 자세히 이야기하겠다.

지각에 대한 두 번째 모델의 개요를 스케치하고 나면 내가 말하려는 바를 좀 더 잘 이해할 수 있을 것이다. 나는 이 모델을 새로운 실재론 모델$^{new\ realist\ model}$이라 부른다. 새로운 실재론 모델은 사영^{abschattung} 개념을 장-유출^{abstrahlung} 개념으로 대체한다. 이런 예를 생각해 보자. 당신은 화창한 9월 어느 날 오후, 사나리쉬르메르 해변에서 태양을 바라보고 있다. 현상학주의자는 곧바로 반발할 것이다. 당신이 보고 있는 게 정말 태양이냐고. 당신이 저 하늘에서 보는 것은 양산으로 심지어 맨손으로도 가릴 수 있는 어떤 것이다. 하지만 태양을 양산이나 맨손으로 가릴 수 없다는 건 분명하다. 그러기에는 태양이 너무 거대하기 때문이다. 그렇다면 저기 있는 건, 우리가 태양을 직접적으로 지각하지는 못하면서 지각하고 있는 무언가가 아닌가? 그렇다면 우리가 '태양'이라 부르는 하늘에 있는 작은 점은 무엇이고, 대체 어디에 있는 것일까?

이 문제를 이해하기 위해 새로운 실재론은 간단한 수정을 제안한다. 물리학의 관점에서 태양을, 말하자면, 전자기장^{Feld}이라고 생각해 보자. 태양이 우리의 감각 레지스터$^{sensory\ register}$, 즉 우리의 피부와 신경 말단에 영향을 줄 수 있는 건 태양-장이 우리가 있는 곳까지 뻗어 있기 때문이다. 우리는 그것을 햇빛으로 경험한다. 햇빛은, 장으로서의 태양이 하늘의 바로 저 위(어떤 경우에도 물리적 위치가 아닌)에 있지도, 태양계 중심에서 가깝지도 멀지도 않기 때문에 생겨난다. 태양은 이러한 의미에서 중심이 아니다. 태양은 당신이 그 속성을 측정하는 장소에 따라 다른 강도를 가진 장(場)이다.

인간의 지각은 그 장 안에 있는 우리의 위치에서 태양-장의 속성을 측정한다. 직설적으로 말하자면 우리는 태양 안에 있는 것이다! 지구라는 행성은 태양에서 그리 멀리 떨

어져 있지 않으며, 멀다고 해 봐야 태양의 핵에서 일어나는 일정한 과정들로부터 멀 뿐이다. 우리는 태양(의 장) 내에서 그 거주 가능한 부분 중 하나에 살고 있는 것이다. 내가 (양산이나 손으로) 하늘에서 가리는 것, 내가 내 시각의 장에서 차단하는 건 태양도 아니고, 태양의 핵도 아니다. 그건 내 몸 내부의 물리적 힘과 과정들을 포함하는, 무수한 물리적 힘과 과정의 상호 작용에 의해 생성된 지각적 환영이다.

그렇기에 지각은 서로 고립되어 있는 몸체들인 태양과 나 사이에서 일어나는 외적인 관계가 아니다. 서로 다른 의미장이 내적으로 중첩되면서 우리가 '지각'이라 부르는 현상이 생겨나는 것이다. 이 현상의 구조 내부에서 우리는 지각의 대상인 태양 그 자체를, 힘과 과정에 의해 생성된 지각적 환영과 구분할 수 있다. 이 힘과 과정은 광학, 기하학, 신경 과학, 시 과학$^{vision science}$, 의학, 심리학 등에서 연구한다.

프랑스 철학자 조셀랭 브누아는 현상을 해석함에 있어 우리를 잘못된 방향으로 이끄는 건 지각적 환영이 아니라 그 현상에 대한 해석이라고 올바르게 지적한다.[17] 많이 알려진 뮐러-라이어-착시를 예로 들어 보자. 같은 길이의 두 수직선이 평행으로 놓여 있다. 하나는 위에 있고 다른 하나는 아래에 있다. 각 수직선 끝에 각각 화살표가 부착되어 있다. 한 수직선은 화살표가 안쪽으로 부착되어 화살촉 모양을 이루고, 다른 수직선은 바깥쪽을 향하고 있어 꼬리 모양을 이룬다. 이것은 두 개의 화살촉 모양의 직선이 꼬리를 가진 직선보다 짧다는 환영을 만들어 낸다. 이 메커니즘을 안다고 해서 환영이 교정되지는 않는다. 그 환영은 우리의 두뇌가 길이를 인식하는 데 사용하는 지각적 체계의 통합적 부분이기 때문이다. 이 두 직선의 길이가 다르다고 믿는다면 나는 오류를 저지르는 것이다. 하지만 지각에서 이런 모습appearance을 만들어 내는 선들 자체가 나를 오류로 이끄는 것이 아니다. 오히려 지각되는 대상(길이가 같은 선분)과 그 모습의 공존 덕분에 나는 지각의 실제 대상에 대해 더 많은 걸 발견하는 위치에 있게 된다.

지각을 구성하는 과정과 그 토대를 이루는 물리적이고 자연적인 힘은 숨겨져 있지도, 우리의 손이 미치지 않는 어떤 세계에 속해 있지도 않다. 오히려 그 반대다. 그것들은 우리가 사물들 자체, 곧 태양이나 책상처럼 지각되는 대상들과 직접적으로 접촉하는 방식들이다.

미학의 문제로 들어오면 사태는 좀 더 까다롭지만 더 흥미로워진다. 지각이란 (1) 지각의 대상이 (2) '지각하는 자'에게 (3) 지각적 환영의 형태로 모습을 드러낸다는 세 겹의 관계라는 것에 주목하자. 우리는 이 관계를 지각 대상의 특질이라고 이해할 수 있다. 지각의 대상은 지각되는 관계 내에 위치하고 있다는 특질을 지닌다. 이는 실제로 일어나는 일이며, 육체에서 분리된 정신에서 일어나는 상상적 해프닝 같은 것이 아니다. 지각이 사물의 심장에서 일어나는 곳, 그것이 실재다. 예를 들어 태양은 지각됨으로써, 아주 미세하기는 하지만, 문자 그대로 변한다. 태양-장과 물리적으로 상호 작용하는 우리는 다양한 방식으로 그것을 변형시키고 있는 것이다.

이제 물리적 태양을 모네의 「인상, 해돋이」로 대체해 보자. 여기서 대상은 일정한 전자기적 장이라는 의미에서의 태양일 수 없다. 그런 태양이 유화로 재생산될 수는 없다. 유화는 그것에 적합한 재료가 아니고 천체 물리학적 의미의 태양계 규모에 근접할 만한 캔버스도 없다. 그렇다고 해서 모네의 태양이 태양이 아니라 태양의 재현 또는 태양의 이미지일 뿐이라고 말하는 건 잘못일 것이다. 더 정확히 말하자면, 모네의 회화는 태양에 대한 지각적 환영을 지각의 대상으로 바꿈으로써 실지로 태양을 다루고 있다고 말해야 한다. 모네의 회화를 통해 우리는 태양에 대한 우리의 지각을 지각한다. 여기서 우리가 지각하는 것은 하나의 관계이지 통상적인 대상이 아니라는 말이다.

미적 경험, 즉 예술 작품의 지각은 일반적으로 2차적 질서의 지각적 관계, 다시 말해 지각적 관계에 대한 지각적 관계다.

수행으로서의 해석

이쯤에서 당신은 그렇다면 해석과 상상의 역할이 무엇인지 궁금해질 것이다. 예술에 대한 철학이라면 모두 예술을 수용하는 방식이 결코 순수하게 지각적인 것만이 아니라는 사실을 받아들인다. 이를 위한 아주 좋은 논거가 있다. 음악을 생각해 보자. 교향곡은 그것을 지각하는 한 순간에 전체가 현전하지 않으면서도 그 응집성을 유지한다. 교향곡을 이해하려면 (다시 말해 단순한 소음이 아닌 음악을 들으려면) 당신은 콤퍼지션, 곧 일련의 음향 현상을 서로 묶어 주는 규칙을 파악해야 한다.

존 케이지는 「4분 33초」에서 이 생각을 끝까지 밀어붙였다. 퍼포먼스가 행해지는 동안 그의 작품의 콤퍼지션이 실지로 당신이 듣는 소음을 초월하고 있음을 보여 준 것이다. 「4분 33초」는 침묵의 작품이 아니다. 작가 또는 음악가가 아무것도 하지 않는 동안 당신이 듣는 소음에 부과되어 있는 콤퍼지션이 당신의 순수한 음향적·미적 경험에 개입한다. 「4분 33초」는 순수한 콤퍼지션으로 음악의 핵심을 구현하고 있다. 이 예술 작품의 내용은, 관객이 작품이 실행되는 4분 33초에 의해 틀 지워진 각자의 사운드스케이프에 참여함으로써 구체화된다.

예술 작품은 다양한 감각적 요소를 하나로 묶어 주는 아이디어에 의해 조직된다. 조각은 당신과 미술관 벽 사이에 자리 잡은 객체도, "자유로운 통행의 장애물"*도 아니다. 혹은 그것을 통과해 지나가기 어려워 도시 계획자들로 하여금 (콩코르드 광장의 룩소르 오벨리스크Luxor Obelisks를 둘러싼 우회로처럼) 우회로를 디자인하게 하는 장애물도 아니다. 전시된 조각품은 대리석이나 청동으로 잘 만들어진 덩어리가 아니라, 비물질적인 아이디어의 빛 속에서 어떤 물질의 모양을 형성하고 있는 아이디어다.

당연하게도 이것이 로댕의 「생각하는 사람」이 제기하는 포인트 중 하나다. 이 조각은 하나의 아이디어를 청동으로 구현함으로써 본질적으로는 자기 자신을 다루고 있다.

---

* 본에서 열린 세미나에서 찰스 트레비스는 이 유용한 표현을 사용해 객체 개념의 오류를 지적했다. 이 개념은 생각과 지각의 대상을 자유로운 통행의 장애물과 혼동하게 만든다.

조각은 일정한 모양으로 만들어진 물질 재료와 비물질적 아이디어의 콤퍼지션이다. 이 콤퍼지션은 다시금 비물질적이라는 사실에 유의하라. 그러니 이 작품에는 적어도 세 가지 요소, 곧 청동, 청동의 모양, 표현된 아이디어가 있는 것이다. 예술 작품은 이 중 어느 하나로 환원될 수 없다. 정확히 말해 예술 작품은 청동과 청동의 모양, 표현된 아이디어를 서로 묶어 주는 콤퍼지션에 있다.

다음 장에서 자세히 살펴보겠지만 이것이 예술의 자율성이 갖는 진정한 의미다. **예술이 급진적으로 자율적인 건 각 작품이 요소들(의미장)의 고유한 콤퍼지션이기 때문이다.** 그 자체로서의 예술이 공공 영역과 사회-정치적 조건을 초월하는 이유도 여기에 있다. 예술은 사회-정치적 조직 내에서 인간 행동을 규율화하는 어떤 종류의 규칙에도 종속되지 않는다. 그 자체로서의 예술은 제도가 아니며 어떤 제도에 묶여 있지도 않다.

오스트리아 조각가 에르빈 부름은 그의 유명한 「1분 조각」[18]에서 이를 명쾌하게 보여 준다. 이 조각들은 관객을 그 조각의 구성에 참여시킨다. 통상적으로 1분 조각은 당신에게 한 사물을 제시한다. 예를 들어 한 장의 큰 스웨터가 바닥에 놓여 있다. 거기에는 지시문이 딸려 있는데, 그 스웨터를 다른 사람과 함께 입어 보라고 요구한다. 그래서 당신은 그 스웨터의 소매와 스웨터 목을 다른 사람과 공유한다. 누군가 이 지시문을 따라야만 조각이 완성된다.

이는 몇 가지 결과를 낳는다. 무엇보다도 이는 이 조각이 정적이고 육중한 전통적인 모습을 하고 있지만, 그럼에도 한 사람의 예술가에 의해 만들어진 대상이 아니라는 것을 증거해 보인다. 작가는 이 1분 조각을 끝낼 수조차 없다. 사실상 그 어떤 1분 조각도 거기 사용된 재료(스웨터, 참여 방법이 암호화되어 있는 일련의 지시문)가 처음 관객이 보았던 형태와는 다르게 해체되기 전에는 완료되지 않는다. 이 일이 일어나기 전에는 늘 다른 해석의 여지가 존재한다. 여기서 하나의 '해석'은, 악보와 그 악보에 의한 연주처럼, 그 자체가 글자 그대로 예술 작품의 부분이다. 이러한 의미의 해석(예술의 자율성을 이해하기 위해 요구되는)은 어떤 이론적 구성물이나 이런저런 작품에 대한 아카데미적 코멘트가 아니다. 오히려 해석은, 연극을 무대에 올리는 것처럼, 매회 이루어지는 퍼포먼스의 일례다.

부름의 「1분 조각」은 예술 작품의 이런 측면을 분명하게 한다. 그것은 어떻게 조각이 예술의 한 형식인지를 입증한다. 조각은 악보와 마찬가지로 존재하기 위해 해석을 필요로 한다. 조각은 수동적이고 죽어 있는 물질(청동, 대리석 등)을 어떤 모양으로 만들어 낸 것이 아니다. 대리석으로

된 어떤 모양을 지각하건, 부름의 경우처럼 주어진 물질적 대상(스웨터, 테니스공, 플라스틱 병 등)으로 무엇인가를 행하건, 조각은 퍼포먼스/해석의 단계를 포함한다.

그렇기에 근본적으로 볼 때 부름의 조각과 로댕의 「생각하는 사람」사이에는 존재론적 차이가 없다. 로댕의 작품에서, 청동 덩어리가 실제 생각하는 자가 아니라는 건 분명하다. 「생각하는 사람」에 의해 재현된 생각하는 행위는 청동으로 된 대상과 수용자 사이의 관계다. 우리가 「생각하는 사람」의 의미에 관해 질문을 던질 때 그 청동 대상은 우리가 지각하는 사물과 우리가 그것을 조우하는 방식 사이에서 드러나는 생각함의 관계를 표명한다. 이 조각을 해석하자마자 우리 자신이 '생각하는 사람'으로 변하는 것이다.

이러한 생각의 노선을 좀 더 밀고 나가 보자. 고정된 청동 덩어리가 생각하는 활동에 참여하지 않는다는 건 너무도 명백하다. 그렇기에 순진하게도 조각과 동일시된 대상(전시되고 있는 청동 사물)이 「생각하는 사람」이라고 믿는 건 한마디로 잘못이다. 그렇게 되면 예술 작품이란 그 자체로 오류에 다름 아니게 될 것이다. 낡고 오래된 예술 비평(유명하게는 솔론, 플라톤, 그리고 일신교에서 찾을 수 있는)이 우리로 하여금 잘못 믿게 만드는 게 바로 이것이다. 예술이란 그저 거짓이고 환영이며, 허위(pseudo : '거짓'을 의미하는 그리스어 단어에서 나온)일 뿐이라고. 우리는 예술을 숭배해서는 안 되고, 예술은 우리를 잘못된 길로 이끌고 우리를 타락시킨다고. 「생각하는 사람」은 생각하는 사람이 아니라, 우리가 생각하는 사람이라고 잘못 해석하는 청동 덩어리일 뿐이라고.

그렇지만 지각이 세 겹의 관계라는 사실을 떠올려 보자. 지각은 우리 자신과 어떤 주어진 대상 사이에 있으면서 현실에 또 다른 차원을 추가한다. 이 세 번째 차원이 관계의 형식이다. 우리 인간과 많은 동물이 대상을 지각하는 형식은, 예를 들어 색깔, 소리, 냄새, 딱딱함, 크기, 움직임 등을 수반한다. 이 형식을 제거해 버리면 우리가 관계하는 건, 헤겔이 지식과 지각에 대한 칸트의 이론을 비판하는 고도의 반어적 구절에서 '형식 없는 덩어리'라고 부른 것뿐이다.

> "객관성과 안정은 오로지 범주들로부터만 오는데, 이 물자체의 영역은 범주를 벗어나 자기 자신과 반성에 대해 존재한다. 그렇기에 우리가 이 영역으로부터 형성할 수 있는 유일한 아이디어는 우화에 나오는 강철 왕의 아이디어와 같다. 인간의 자기의식이 이 강철 왕에게 객관성의 정맥을 투사하는 한 그는 똑바로 서 있을 수 있다.

형식적인 초월적 관념론은 이 왕의 정맥을 빨아먹는데, 그 결과 그의 직립 자세가 무너져 보기에 역겨운, 형태와 덩어리 중간의 무언가가 되어 버린다. 자기의식에 의한 정맥이 주입되지 않으면 자연의 인식을 위해 남는 것은 감각 작용뿐이다. 그렇게 되면 경험에서 이 범주들의 객관성과 이 관계들의 필연성은 다시금 우연적이고 주관적인 것이 되어 버린다."[19]

지각에서의 주체와 대상의 관계 그 자체가 실재의 일부다. 그런 관계가 생겨난다는 것이 바로 실재적이다. 지각은 '우리 머릿속'에 있는 것이 아니다. 청동 조각상을 보는 나는 공공적 대상, 즉 당신도 볼 수 있는 것을 본다. 그 재료로 내 마음속 또는 내 두뇌 속에서 무엇인가를 지어내는 것이 아니다. 지각은 실지로 거기에 있다. 당신이 내 지각을 볼 수 없는 이유는 지각이 그때마다의 지각하는 자와 그의 대상 사이의 관계이고, 그 관계는 그 자체로 누군가 지각할 수 있는 대상이 아니기 때문이다.

그 통찰에 합당한 중요성을 부여하지는 않았지만 이를 깨달은 최초의 철학자 중 한 사람이 놀랍게도, 아리스토텔레스다. 『영혼에 관하여』에서 그는, 지각이 서로 다른 감각 양상들(그에게는 보기, 듣기, 만지기, 맛보기, 냄새)로 진행됨에도 불구하고 어떻게 대상들을 지각할 수 있는가를 묻는다. 그는 공통 감각이 있어서 우리의 감각적 경험을 대상에 대한 지각적 경험으로 통합시켜 준다는 가설을 고려한다.[20] 하지만 내가 읽기로, 그는 이 선택지를 포기하고 대신, 대상과 지각하는 주체 사이를 엮는 하나의 관계, 그의 말을 빌리면 로고스가 있다고 주장한다. 이 관계, 곧 지각은 또 다른 감각 양상이 아니다. 그것은 지각의 관계가 취하는 형식이다.

　새로운 실재론이 어떻게 작동하는지 설명할 때 내가 즐겨 사용하는 예를 들어 이야기해 보자.[21] 당신이 나폴리에 있다고 상상해 보라. 해변가에서 당신은 베수비오산을 보고 생각에 잠긴다. 그 화산이 당신의 지각의 대상이고 당신이 지각하는 사람, 곧 주체라는 건 분명하다. 그런데 여기에는 당신과 화산 말고도, 당신이 화산을 지각하는 방식, 곧 시각적 관점이 있어야 한다. 당신은 나폴리에서 그 화산을 보고, 다른 사람은 그 화산을 소렌토에서 본다. 화산이 보이는 방식은 화산과 당신만큼이나 실재적이다. 화산이 보이는 방식은 당신과 화산 사이의 물리적 현실에서 엮이는 관계이기 때문이다.

　독일 물리학자 토마스 괴르니츠는 내게 지각의 형식을 양자 이론의 견지에서 사유할 가능성을 깨닫게 해 주었다.[22] 나폴리에서 베수비오 화산을 지각할 때 우리는, 다른 것들과 함께, 베수비오 화산이 우리가 있는 곳에서는 일정한 방식으로 보인다는 정보를 접수한다. 베수비오산의 멘탈 이미지(그 산이 내게는 당신에게 보이는 것과 다르게 보인다는 사실)는 두뇌가 만들어 낸 것이 아니라 두뇌 장치의 도움으로 우리가 샘플링하는 것이다. 오스트리아–미국 철학자 마크 존스턴이 말하듯, 우리는 현존의 생산자가 아니라 현존의 표본수집자다.[23]

이 점에서 보면 우리는 텔레비전 장치와도 닮았다. 예를 들어 「더 투나잇 쇼 The Tonight Show」를 시청할 때 내 텔레비전은 그 프로그램을 만들어 내지 않고 그 프로그램을 수신한다. 지미 팰런이 보이는 방식, 우리가 그를 보는 앵글은 텔레비전 스크린에 전송되는 것일 뿐 텔레비전에 의해 만들어지는 것이 아니다. 물론 이는 비유일 뿐이다. 텔레비전 쇼의 경우 우리는 현실에 또 다른 레이어를, 공공적으로 가시적인 관점을 추가하기 때문이다. 2차적 질서의 매체인 텔레비전은 한 관계에 다른 관계를 연루시킨다. 우리가 지각하는 텔레비전 이미지는 대상들의 스튜디오 장면과 카메라 사이의 관계다. 실지로 이 시나리오에는 몇 종류의 매체가 연루되어 있지만 지금 내가 말하는 사안과 관련해서는 별로 중요하지 않다.

「생각하는 사람」으로 되돌아가 보자. 생각하기에 대한 시리즈 글에서 영국 철학자 존 랭쇼 오스틴은 "「생각하는 사람」은 무엇을 하고 있는가?"[24]라고 반복해서 묻는다. 나의 답은 "그 청동 조각상은 전혀 아무것도 하지 않는다"이다. 제대로 된 질문이라면 "「생각하는 사람」을 마주하면 우리는 무엇을 하는가?"여야 한다. 이 질문에 대한 답은 다음과 같다. 우리는 「생각하는 사람」이라 불리는 예술 작품을 수행perform한다. 이 수행은 본질적으로 우리와 청동 조각상 사이의 생각함이라는 관계를 아우른다. 베수비오산이 우리로 하여금 지각하게 하듯 청동 조각상은 우리로 하여금 생각하게 한다. 「생각하는 사람」과 조우하면 우리는 생각하지 않을 수 없다. 이런 방식으로 우리는 예술 작품 자체의 구성에 통합된다.

예술 작품은 해석되지 않고서는 존재하지 않는다. 이는 예술 작품을 어떤 명시적인 이론적 수준에서 이해해야 한다는 말이 전혀 아니다. 그렇기에 우리는 예술에 대한 해석과 예술에 대한 이론적 분석 사이에 분명한 선을 그어야 한다. 예술 작품을 해석한다는 건 그것을 지각하거나 그것에 관해 생각한다는 뜻이다. 예술에 대한 지각 혹은 예술에 관한 우리의 생각은 외재적 활동이 아니다. 그것은 예술 작품 그 자체의 부분이다. 우리는 이것이, 예술 작품이 그를 통해 자기 자신에 대해 지각하고 생각하는 의미의 존재를 함축한다는 걸 보게 될 것이다. **예술은 대상화된 주관성이자, 자기반성을 촉발하는 대상에 의해 현실에서 자기 자신을 생각하는 생각이다.**

그렇기에 예술이 해석에 의거한다는 점을 예술이 이론적 분석에 의거한다는 잘못된 개념과 혼동해서는 안 된다. 물론 어떤 예술 작품은 (많은 수의 소위 개념 예술 작품처럼) 해석과 이론적 분석이 거의 함께 일어나는 방식으로 구성되어 있기도 하다. 예를 들어 조지프 코수스의 「네 가지 색, 네 가지 단어」를 생각해 보라. 이 작품은 서로 다른 색깔의 네온 빛으로 된 네 단어로 이루어져 있다. 누군가는 이를 작품에 전시된 문구의 자기 지시(흥미로운 역설을 만들어 내는)에 대한 철학적 논평이라고 볼 수도 있다. 색깔 있는 단어는 단어인가? 글자 형태의 네온 빛은 글자인가? 이런 질문들에 어떻게 대답하든, 이 작품은 관찰자를 이론적 분석으로 향하게 하지만 그런 일은, 예를 들어 피카소의 조각에서는 일어나지 않는다. 그럼에도 불구하고 피카소의 조각이 예술로 존재하려면 해석되어야 한다. 하지만 이 말이 피카소의 조각들을 예술 작품으로 변신시키기 위해 이론적 또는 개념적 분석의 수준에서 그것들을 해독해야 한다는 걸 의미하지는 않는다.

자율성, 급진적 자율성, 독창성

예술 작품은 특수한 조건(미술관, 콘서트, 극장 등)하에서 전시되는 대상들이 아니라 콤퍼지션이다. '콤퍼지션^{com-}^{position}'은 문자 그대로 사물들을 함께 놓는 것이다. 최소한으로 표현하자면 예술 작품은 이래저래 평범한 대상들(청동상, 사운드, 인쇄 혹은 발화된 단어들)을 해석(조각을 지각하고, 소설을 읽고, 오페라를 공연하는 등)과 결합시킨다.

특히 중요한 사실은 우리가 예술 작품을 그 콤퍼지션의 한 레이어로 환원하지 않는다는 것이다. 음악은 소음의 연쇄가 아니고, 오페라는 악보와 같지 않으며, 「생각하는 사람」은 청동으로 된 동상이 아니다. 예술 작품을 대상으로 환원하면, 그건 미스터리하고 이해할 수 없는 힘이 되어 버린다. 이것이 객체 지향 존재론에 기반한 예술 철학의 문제다. 객체 지향 존재론은 미국 철학자 그레이엄 하먼의 저작과 가장 밀접히 관련되어 있는 운동이다. 널리 읽힌 『쿼드러플 오브젝트』 이후 하먼은 객체의 본질은 우리에게서 빠져나간다는 주제를 발전시켜 왔다. 그의 관점에서는 모든 객체는 우리에게 계시될 수 없는 측면을 지닌다. 세계는 신비로운 객체들의 세계이다. 예술 작품이 종종 신비, 하먼이 즐겨 표현하는 매혹^{allure}의 아우라에 덮여 있는 건 이 신비로운 객체들이 예술에 반향되기 때문이다.

객체의 '객체성'을 주장하는 건, 예술을 과도하게 이론으로 통합시키는 포스트모더니즘에 대항하는 데 있어 별 이득이 없다. 예술 작품은 일정한 청동 덩어리 같은 시공간적 대상이 아니라는 바로 그 이유 때문이다. (하먼이 비판하는 포스트모던 문학비평의 한 흐름처럼) 예술 작품을 이론적 분석으로 환원하면 우리는 바로 그 대상을 시야에서 놓치게 되고, 그 대상이 없다면 어떤 식으로든 이론적 분석에 참여할 이유조차 사라져 버린다.

하지만 우리는 해석의 차원 역시 잊어서는 안 된다. 해석이 없다면 예술 작품은 단순한 대상이거나 임의적인 인공물이 되어 버린다. 해석이 우리로 하여금 콤퍼지션과 접촉하게 한다. 객체 지향 존재론은 이러한 해석의 차원을 과소평가한다. 해석이 없다면 예술 작품은 일차적으로 신비

로운 아우라조차 가지지 못하게 될 것이다.[25]

콤퍼지션으로서의 예술이라는 아이디어는 예술의 자율성을 제대로 설명하기 위한 단서다. 잘 알려져 있듯이 자율성이란, 스스로의 법칙에 지배되는 것, 오로지 그 자신을 구성하는 법칙만을 따르는 것의 속성이다. 그런데 예술 작품만 유일하게 자율적인 실재의 부분은 아니다. 칸트의 행위자 이론에 따르면 인간 행위자는 자율적이다. 행위를 할 때 우리는 우리 자신, 다른 인간, 우리 환경을 이루는 비인간 현실의 개념에 통합된 자기 이미지의 빛 속에서 그렇게 한다. 우리는 우리가 어떤 존재이며, 어떤 존재이고자 하는가라는 개념의 빛 속에서 삶을 살아간다. 잘 알려져 있듯이 사르트르는 이를 우리의 '프로젝트'라 불렀고, 그와 유사한 통찰을 갖고 있던 칸트는 '격률'이라 표현했다.

인간이라 함은 프로젝트를 갖는다는 것이다. 프로젝트를 가짐으로써 나는 나로서 존재한다. 인간의 프로젝트들은 서로 겹치고 교차하기도 하지만, 늘 개인적으로 해석된다. 이로부터 인간의 삶 그 자체가 예술의 형식이라는 아이디어가 생겨났다. 하지만 유감스럽게도 모든 인간 행위가 예술의 형식이라는 아이디어는 지나치게 과장된 것이다. 세기말 파리에서 등장해 니체를 거쳐 20세기 전체에 영향을 미친, 삶에 대한 이러한 미적 관계는 칸트의 핵심

포인트를 놓치고 있다. 칸트가 인간 프로젝트(칸트의 '격률')에 자율성을 부여하는 건, 우리 모두가 보편적 구조, 곧 인간 존재의 구조(독일어로는 menschheit, 사르트르에게서는 la réalité humaine)를 공유하는 한에서다. 우리는 개인이라서 자율적인 것이 아니라 우리의 행위를 보편화하기 때문에 자율적인 것이다.

칸트적 의미에서 자율적이라는 자격을 가지려면, 인간 행위를 지배하는 내재적 규범은 절대로 특출한 것일 수 없고, 결코 특정한 개인의 규범일 수 없다. 그러한 자율성은 독창성을 위한 여지를 남겨 놓지 않으며, 그 결과 예술을 위한 여지도 남겨 놓지 않는다. 칸트적 자율성에 대한 낭만적이고 신-낭만적(니체적)인 해석은 그 핵심 특성을 놓치고 있다. 인간을 구성하는 자율성과 그보다 더 특정적이고 더 급진적인 예술의 자율성을 혼동해서는 안 된다. 실러조차 『인간의 미적 교육에 대한 서한』에서 이런 실수를 저지른다. 이에 관해서는 예술과 힘을 다루는 마지막 장에서 다시 이야기할 것이다.

인간의 자율성은 인간이라는 보편적 구조의 특징이다. 생명 없는 자연은 물론 다른 수많은 동물 종과 우리가 범주적으로 구분되는 건 이 구조 덕분이다. 같은 이유로 우리는 우리의 두뇌 또는 우리 몸을 이루는 유기체의 하위 체계 어떤 것과도 동일시될 수 없다.[26] 인간으로서의 나와 당신을 비인간 환경으로부터 구별하는 바로 그것이 나와 당신을 다르지 않게 만든다. 인간성이란 본질적으로 공유되는 것이다. 인간들 사이에는 어떤 심층적 차이가 없다. 우리 모두가 보편적인 인간 자율성이라는 같은 형식을 공유하고 있기 때문이다.

이러한 인간의 자율성과는 달리, 예술의 자율성은 예술 작품들 사이의 깊고 근본적인 차이를 설명해 준다. 한 예술 작품의 콤퍼지션은 다른 예술 작품의 콤퍼지션과 다르다. 모든 예술 작품의 콤퍼지션이 공유하는 내용 같은 건 어디에도 없다. 인간이 보편적 형식에 참여하고 있는 개별자라면 예술 작품은 급진적인 개별자다. 한 예술 작품을 예술 작품으로 전환하는 것은 그 작품을 구성하는 다른 모든 예술 작품과의 차이다.

인간은 보편적인 도덕 법칙에 종속되어 있다. 다시 말해, 모든 인간은 다른 모든 인간에게, 그들이 함께 공유하는 인간성으로 인해 무언가를 빚지고 있다는 것이다. 물론 이는 궁극적으로는 모든 인간 존재가 궁극적으로 다른 동물이나 그 외의 자연에게 무언가를 빚지고 있음을 뜻한다. 나는 이를 부정할 생각이 없다. 휴머니즘은 자연 파괴에 대한 요구를 포함하지 않는다. 휴머니즘이 반생태적이라는 계몽 변증법의 주장은 단적으로 신화일 뿐이다. 도덕 법칙은 우리로 하여금 다른 인간-동물뿐 아니라 모든 동물, 나아가 그들의 서식지를 존중할 것을 요구한다. 하지만 이는 또 다른 주제다.

　여기서 중요한 점은 인간은 예술 작품이 아니라는 것이다. 예술 작품은 훨씬 더 급진적이고 개별적이며 독창적이라 어떤 사피엔스도 그것에 필적할 수 없다. 예술과 인간의 삶을 통합하려는 시도가 결국에는 직간접적으로 악의 긍정으로 귀결되는 이유도 여기에 있다. 나는 이것이, 보들레르의 『악의 꽃』의 명시적 테마인, 세기말 예술의 병적 상태의 한 이유라고 단언한다. 예술 작품이 되면 인간은 비도덕적이게 될 것이다. 예술 작품은 보편적인 것과 대립하기 때문이다. 예술 작품은 보편적 법칙하에서는 존재할 수 없다. 예술 작품을 지배하고 우리로 하여금 성공(아름다움)과 실패(추함)의 규범에 따라 그것을 판단하게 하는 규칙은, 주어진 개별 예술 작품에 내재적이다. 아름다움에 대한 보편적인 규범은 없다. 유일하게 있는 건 한 예술 작품이 자기 자신에게 부과하는 규범이다.

　이제 우리는 자율성과 급진적 자율성을 구별할 수 있다. 예술 작품은 급진적으로 자율적이다. 예술 작품의 급진적 자율성이란, 한 예술 작품(그 콤퍼지션)의 개별화 원리가 다른 예술 작품과는 어떤 실체적 공통점도 지니지 않는다는 걸 의미한다. 왜 그런가? 예술 작품은 서로 다른 레이어들을 하나로 모은다. 앞에서 말한 대로 나는 이 레이어들을 '의미장'[27]이라 부른다. 예술 작품은 의미장들의 콤퍼지션이다. 한 예술 작품의 의미장들이 서로 결합되는 방식(예술 작품의 의미)이 콤퍼지션이며, 이 컴퍼지션은 그 예술 작품 내부로부터만 이해될 수 있다. 예술 작품은 스스로에게 자기 자신의 법칙을 부여한다.

(파리의 두 번째 구 또는 마크롱 정부 같은) 의미장 아쌍블라쥬로부터 예술 작품을 구분해 주는 또 하나의 척도는 예술 작품은 존재하기 위해 해석되어야 한다는 것이다. 예술 작품은 본질적으로 해석–의존적이다. 두 번째 구나 마크롱 정부가 존재하기 위해 당신이나 내가 그것을 해석해야 하는 것은 아니다. 물론 마크롱과 그의 장관들은 그들의 정부가 존속하기 위해 자신들의 역할을 해석하고 통치해야 한다. 하지만 이런 해석이 그들을 포괄하는 어떤 독립적인 콤퍼지션을 드러내지는 않는다. 총리는 총리의 역할을 수행해야 한다. 이런 해석은 그 역할을 체현하고 있는 개인의 스타일에 영향을 줄 수 있겠지만, 엄격하게 말해, 정부에 핵심적인 것은 아니다. 정부는 정치적 영역에서 자신의 역할을 수행하고, 그 영역에서 지배받는 사람들의 눈에 자신

을 정당화해야 한다. 그러나 정부 자체의 척도가 예술 작품의 척도는 아니다. 이들은 예술의 영역을 구성하는 급진적 특유성에 종속되어 있지 않다.

이 점을 두고 누군가는 이렇게 주장할 수도 있겠다. 프랑스 헌법 혹은 다른 법적 복합체가 제5공화국이라는 콤퍼지션의 악보이기에, 제5공화국은 마크롱 대통령과 그 정부에 의해 해석된 예술 작품이라고 말이다. 이것이 마크롱 대통령 자체를 예술 작품으로 만들지는 않는다 해도, 그를 예술 작품에 통합시키고 예술의 개념을 국가의 개념으로까지 확장할 것이라고.

하지만 이는 다음과 같은 이유에서 틀렸다. 법은 그 자체로 인간의 자율성에서 연유하는 보편적 요구에 종속되어 있다. 모든 (실지로 공표된) 실정법은 부분적으로는 도덕적 요구에 의해 구성된다. 이것이 프랑스 제5공화국이 조선민주주의 인민 공화국보다 존재론적으로 우월한 법적 체계에 기초하고 있는 이유다. 법은 예술 작품이 아니다.

국가nation state들 역시 예술 작품이 아니다. 제57회 베니스 비엔날레의 NSK(New Slovenia Art) 국가관이 구성하는 건 국가가 아닌 예술 작품이다. NSK는 1990년대 이래 자신을 주권적 국가로 재현해 오고 있는 예술 단체다. 하지만 지금까지 그 누구도 NSK 국가를 승인하지 않았고, 국가들의 글로벌한 질서의 사회-정치적 구성에 중요한 귀결을 갖는, 시민의 권리와 의무를 조직하는 법령집도 없다. NSK 국가관이 국가를 만들려는 시도였다면, 그 실패는 최근 카탈로니아의 독립을 실현하려던 시도의 실패보다 더 심각했을 것이다. 카탈로니아는 중요한 기구들(무엇보다 유럽 연합과 스페인)에 의해 승인된 법적 시스템을 만드는 데 실패했다. 국가와 예술 작품에 서로 다양하게 겹치는 부분이 있다 하더라도, 국가이면서 예술 작품인 것은 없다. 덴마크는 『햄릿』의 부분이 될 수 있고 역으로 『햄릿』도 덴마크의 부분일 수 있다. 하지만 그렇다고 이 사실이 덴마크를 셰익스피어가 쓴 작품으로 만들거나, 햄릿을 덴마크의 시민으로 만들지는 않는다.

말이 나온 김에 중요한 점을 지적하고 넘어가자. 예술의 급진적 자율성은 엄격한 의미에서 보면 장르라는 것이 존재하는 걸 불가능하게 한다. 비극, 희극, 리얼리즘 소설 또는 인상주의 회화를 위한 규정집 같은 건 없다. 이것이 예술 운동이 오래 지속될 수 없는 이유 중 하나다. 그 어떤 선언문도 일련의 예술 작품의 구성에서 실지로 일어나는 일에 상응하지 않는다. 선언문, 장르, 그리고 기타 일반적인 범주화(미술관의 작품 안내 캡션 같은)는 종종 예술의 급진적인 자율성을 감추는 경향이 있다. 이것들은 일반적인 경향들(스타일, 학파, 재료 등)이 그 효과면에서 예술가의 선택과 한 작품의 특징을 인상주의, 표현주의, 모던, 바로크, 추상 등으로 규정한다는 것을 의미한다. 하지만 이러한 분류는 실재적인 예술의 힘에 대해서는 결코 아무것도 말해 주지 않는다. 그 힘은 그 순수한 특이성 속에 거주하기 때문이다.

실지로 예술의 급진적 자율성에 대한 (제대로 된!) 공포가 존재한다. 마지막 장에서 보겠지만, 그 자체로서의 예술은 인류에게 위험하기도 하기에 절대 과소평가해서는 안 된다. 우리는 예술에 저항하기도 해야 하며, 정치나 윤리, 인간의 삶의 형식 등이 근본적으로 예술의 존재론에 의해 지배된다고 주장하는 본격적인 낭만적 심미주의로 복귀해서도 안 된다. 우리는 낭만적인 사이렌의 유혹에 저항해야 한다. 그들의 노래는 우리 시대 디자인 대상들의 제작 과정 전반에서 울리고 있다.

하지만 예술이 무엇인가라는 질문에 대한 답은 간단하다. 예술은 모든 예술 작품과 같다. 조지프 코수스도 이와 비슷하게 "예술은 예술의 정의이다"[28]라고 말한다. 이 말은 공허한 동어 반복도, 예술의 본질에 대한 질문을 회피하려는 시도도 아니다. '예술은 예술의 정의이다'라는 문장의 의미를 급진적 자율성이라는 아이디어의 견지에서 풀어 보면 이런 말이다.

'예술 작품은 급진적으로 자율적인 개별자다.'

이 정의가 분명하게 함축하는 건 급진적으로 자율적인 개별자라면 모든 게 예술 작품이라는 의미다. 누군가 도널드 트럼프 정부가 실제로 급진적으로 자율적인 개별자(「어프렌티스The Apprentice」[*]처럼)라는 걸 보여 줄 수 있다면, 이는 현재 사실상의 미국 정부는 없다는 결론으로 이어질 것이다. 어쩌면 그것이 우리가 현재 목격하는 사태보다 더 나쁘지 않을 수도 있겠다.[**] 지금 나는 「어프렌티스」가 예술 작품이라고 주장했다. 그렇다고 「어프렌티스」가 좋은 예술 작품이라는 뜻은 결코 아니다. 모든 예술이 다 좋은 예술은 아니다. 건축, 레슬링 등에 연루되어 있다면 도널드 트럼프가 예술가(아마도 사기꾼 예술가)라는 건 맞다. 하지만 분명하게도 그는 나쁜 취향을 가지고 있고, 이는 나쁜 예술

---

[*] 「어프렌티스(The Apprentice)」는 미국 부동산 거물이자 기업가이며 텔레비전 유명인인 도널드 트럼프가 진행한 리얼리티 텔레비전 쇼다. 미국 NBC에서 방송했으며, 영국의 텔레비전 제작자 마크 버넷이 제작했다. '가장 힘든 면접'이라고 불리는 「어프렌티스」는 16~18명의 참가자가 도널드 트럼프의 회사 가운데 하나를 연봉 25만 달러로 1년을 운영하는 계약을 획득하기 위해 경쟁한다. 회마다 트럼프가 참가자 중 한 사람을 해고하는 방식으로 진행해 해고되지 않고 남는 마지막 1인이 우승자가 된다.─옮긴이

[**] 이 책은 트럼프 대통령 임기 중에 출간되었다.─옮긴이

가라는 증거다.

이 지점에서 나의 정의를 좀 더 발전시킬 필요가 있겠다. 그렇게 하려면 약간의 철학 용어가 더 필요하다. 조금만 참아 주시길. 개별자란 동일한 의미장 내에서 다른 것과는 다른 어떤 것이다. 나는 당신과 다르다. 나는 이 문장의 저자이고 당신은 독자다. 내 왼손은 내 오른손과는 다르다. 개별자는 속성들을 갖는다(예를 들어 '내 시점에서 보았을 때 내 몸의 왼쪽에 있음', '독자임' 등등).

서로의 속성을 전부 공유하는 두 개별자는 없다. 이는 독일 철학자 고트프리트 빌헬름 라이프니츠에 의해 근대 철학에서 유명해진 기본 통찰이다. (라이프니츠는 나치 철학자 마르틴 하이데거와는 달리 라틴어와 프랑스어로 저술했다. 독일어로는 철학을 할 수 없다고 생각했기 때문이다. 물론 이는 잘못된 생각이다. 당신은 어떤 자연어로도 철학을 할 수 있다. 하지만 이는 여기서 중요한 문제가 아니다. 여기서 말하는 포인트는 개별자는 그에게는 없는 속성을 적어도 하나 이상 가진 다른 무엇인가가 존재할 때만 비로소 개별자라는 것이다.)

예술 작품은 개별자다. 각각은 서로 다르다. 하지만 이 개별화의 핵심 원리는 시공간적 속성이나 물리적 속성이 아니다. 발견된 오브제라는 아이디어가 의미를 갖는 것도 이 때문이다. 뒤샹의 「샘」에서 소변기가 예술 작품인 것은 아니다. 뒤샹이 한 일은 소변기를 예술 작품으로 바꾼 것이 아니다. 여기서 예술 작품을 구성하는 것은 소변기를 (작품에 대한 우리의 해석을 당연히 포함하는 퍼포먼스의 몇 가지 디테일들과 더불어) 전시한다는 아이디어다.

한 예술 작품의 주어진 콤퍼지션을 아무도 의도하지 않았다면 어떤 예술 작품도 존재하지 않을 것이다. 예술 작품은 그것을 창조하려는 누군가의 의도 없이는 존재할 수 없다. 예술 작품은 그 존재를 위해 예술가를 필요로 한다. 하지만 이 당연한 점을, 더 많은 걸 요구하며 논증적으로도 잘못된 관점과 혼동해서는 안 된다. 즉 예술가는 그들의 창조를 통해 특정한 의미를 전달하려고 의도하며, 그들의 의도된 의미가 우리의 해석에 결정적 규범이라는 관점 말이다. 예술가는 예술 작품의 악보를 창조하지만, 그렇다고 전체로서의 예술 작품에 대한 입법적 힘을 가지고 있지는 않다. 전체로서의 예술 작품은 본질적으로 일련의 해석들을 수반하는데, 예측 불허인 그 해석들은 예술가에 의해 예견될 수도 컨트롤될 수도 없기 때문이다. 소포클레스도 오늘날의 누군가가 그의 연극을 어떻게 해석할지 결코 예견할 수 없었을 것이며, 상당한 기교를 갖추면서도 아름답게 무대 위에 올라간 연극이 그의 작품 「안티고네」의 해석임을 알아차리기까지 꽤 힘든 시간을 겪을 것이다.

한 예술 작품을 개별화하는 건 그 콤퍼지션이다. 예술 작품의 콤퍼지션이 그 작품의 급진적으로 자율적인 지위를 설명한다. 어떤 예술 작품이 예술 작품인 이유를, 왜 이것이 다른 예술 작품이 아니라 바로 그 예술 작품인지를 설명하는 것이 콤퍼지션이며, 바로 그 콤포지션이 급진적으로 자율적인 것이다. 예술 작품을 창조하는 방법에 대한 예술 외부적인 규정집 같은 것은 없다. 모든 예술 작품이 오리지널인 이유도 여기에 있다.

예술 작품의 콤퍼지션은 그 작품에 대한 모든 해석자 각각에 의해 역사적으로 전개되는 해석들의 의미장을 수반한다. 예술 작품의 콤퍼지션은 그 자체로 완성될 수 없다. 예술 작품은 우리가 그것에 대한 해석을 그만둘 때만 완성된다. 그 예술 작품에 대한 미적인 참여가 계속 존재하는 한 예술 작품은 완전히 실현되지 않는다. 예술의 실현은 예술의 종말이다.

"기술적 복제 시대의 예술 작품"[29] 같은 것이 존재할 수 있다고 생각했다는 점에서 발터 벤야민은 근본적으로 틀렸다. 원리적으로 한 작품을 복제한다는 건 불가능하다. 물론 19세기 이후 새로운 기술은 수많은 예술 작품의 복제를 가능하게 했고, 이로부터 새로운 예술 형태인 시리즈 예술이 탄생하기도 했다. 이는 현대적 기술을 이용해 한 대상을 복제함으로써 복제의 시리즈를 만든다는 아이디어다. 엄밀히 말해 이것이 우리에게 제공한 건 새로운 콤퍼지션의 아이디어일 뿐 벤야민이 그의 회고적 에세이에서 말하듯 신비로운 아우라의 파괴는 아니다.

사진은 말할 것도 없고, 워홀의 시리즈 역시 페르메이르의 「델프트 풍경」(지난 몇 세기 동안 여러 차례 복원을 거쳐 모습이 상당히 바뀌어 오늘날 우리가 헤이그에서 볼 수 있는 건 페르메이르가 살아 있을 때 보거나 그린 것과는 상당히 다르다) 만큼이나 미적이다. 현대 기술은 예술의 본질에 어떤 종류의 위협도 가하지 않는다.

첨언하자면, 나는 페르메이르가 워홀보다 더 훌륭한 예술 작품을 창조했다는 사실을 부인하는 게 아니다. 나는 페르메이르가 워홀보다 더 훌륭한 예술 작품을 창조했다고 믿으며, 필요하다면 이 관점을 상세히 옹호할 것이다. 하지만 페르메이르가 워홀보다 훌륭한 이유가 단지 그가 과거에 살아서라거나 어떤 테크닉을 더 잘 구사할 수 있어서는 아니다. 좋은 예술과 나쁜 예술의 기준은 이 작품이나 저 작품의 콤퍼지션의 디테일을 조사함으로써만 명시화할 수 있다. 예술 작품의 질은 예술 작품 안에서 나오는 빛이다. 어떤 주어진 아이템이 다른 아이템보다 예술적으로 우월하다는 걸 계산하게 해주는 도록이나 보편적 체계 같은 건 없다.

급진적으로 자율적인 개별자라는 건 예술의 질을 따지는 기준이 아니라, 오로지 예술이기 위한 기준일 뿐이다. 어떤 예술 작품이나 예술가가 다른 예술가나 작품보다 더 훌륭한지 아닌지는 하나하나 개별적으로 따져 봐야 하는 문제다.

이는 우리가 예술에서 높은 가치를 매기는 독창성의 문제이기도 하다. 직설적으로 말하자면 전지전능한 신조차 예술의 역사에서 이다음 어떤 흐름이 등장할지, 이후 등장할 위대한 예술 작품이 어떤 모습을 하고 어떤 소리를 낼지 내다볼 수 없다. 예술이 무엇인지를 알고 있다 해도, 장차 어떤 예술이 나올지는 신조차 알 수 없는 일이다. 신이 존재하고, 신이 특정한 시점에 세계를 창조했다손 치더라도, 천지를 창조하던 때의 신조차 좋은 예술과 나쁜 예술에 관해 말할 수 없었을 것이다. 기껏해야 신은 예술 작품이 급진적으로 자율적인 개별자라는 걸 파악할 수 있을 텐데, 이것만으로는 그 누구도 예견의 힘을 가질 수 없다.

앙리 베르그송과 마르틴 하이데거로부터 시작되어 20세기 철학에는 사건 개념에 대한 활발한 논쟁이 있어 왔다. 논쟁의 중심 문제는 현실에서 급진적 혁신이 어떻게 일어날 수 있는지 알아보기가 힘들다는 것이다. 칸트 이후 많은 철학자에게 현실은 보편적 법칙에 종속되어 있는 것이어서, 이전에 없던 새로운 것이 어떤 시점부터 존재하기 시작한다면 다른 모든 것과 실체적으로 공통적인 무엇인가를 가져야만 한다고 여겨졌다. 오늘날에도 널리 퍼져 있는 이 주도적 아이디어는, 현실의 모든 것은 시공간적이거나 물질적-에너지저이라서 자연법칙의 지배를 받는다는 것이다. 존재하는 모든 개별자는 다른 모든 개별자와 실체적으로 공통적인 어떤 것(말하자면 소립자)을 갖는다는 의미이다.

하지만 이런 (심각하게 잘못된) 아이디어는 예술 작품에는 적용되지 않는다. 예술은 늘 사건들의 시리즈이기 때문이다. 가장 악명 높기로는 하이데거가, 가장 명시적으로는 질 들뢰즈 같은 사건의 이론가들이 사건에 관해 말하기 위해 예술 작품에 관심을 가진 것도 이 때문이다. 이들은 예술 작품이 사건의 구조를 예증한다는 걸 보았다. 다시 말해, 예술 작품은 순수하게 개념적(형이상학적)이거나 경험적인 지반에 의거해 예견될 수 있는 어떤 이유도 없이도 출현한다.

그렇지만 이를 다른 노선의 사유, 특히 테오도어 비젠그룬트 아도르노의 『미학 이론』[30]을 통해 두드러지게 전개된 사유와 혼동하지 않도록 주의해야 한다. 아도르노는 (키

치나 할리우드 영화, 팝 음악처럼 문화 산업에 의해 생산된 예술에 대립적인) 좋은 예술은 '비동일자', 즉 비개념적인 비동일자를 드러낸다고 믿는다. 아도르노의 기본 아이디어는 단순하다. 우리는 현실을 분류함으로써 파악한다. 분류는 일종의 술어다. 우리는 주어진 대상을 어떤 범주에 속하는 것으로 분류함으로써 확인한다. 예를 들어, 에마뉘엘 마크롱은 정치가다. 우리는 그를 정치가라고 생각함으로써 분류한다. 정치가라는 것은 한 술어의 도움으로 우리가 표현할 수 있는 개념이다. 따라서 우리는 서로 다른 사람들을, 공유하는 속성의 정도에 따라 함께 묶을 수 있다.

그러나 모든 대상이 개념은 아니다. 사건, 그리고 급진적으로 유일무이한 대상은 우리의 범주 체계에서 빠져나간다. 이로부터 개념이 아닌 대상들을 비개념적이라는 특질을 공유한다는 개념 아래 함께 묶는다는 철학적 역설이 발생할 여지가 있다. 이 역설에서 벗어나려면 그들을 곧바로 범주화하지 않으면서 사건 및 유일무이한 대상과 관계하는 방법에 관해 다르게 사유해야 한다. 이것이 아도르노의 대표작인 『부정 변증법』의 주제다. 개념적인 것과 비개념적인 것의 관계에 관한 논의에 핵심적으로 기여하는 그의 『미학 이론』은 예술의 힘은 작품의 존재론에 거한다고 주장한다. 곧, 위대한 예술은, 절대적으로 유일무이하며 모든 개념적 범주화에서 벗어난다는 것이다.

아도르노 생각의 핵심은, 우리가 현실과 맺는 관계(인식과 지각)가 우리로 하여금, 그 자체로 개념적이지 않은 무엇인가와 접촉하게 한다는 사실을 예술 작품이 예시한다는 것이다. 아도르노가 생각하는 것은 사건의 형식을 가지고 있는 현실, 그리고 수용자, 더 정확히 말해 아도르노 같은 예술 이론가에게 반성적으로 열리는 예술이다.

하지만 예술 작품(심지어 최고의 예술 작품도)의 내용은 엄밀하게 말해 개념적 형식을 갖는다. 예술 작품은 각각의 개별적 콤퍼지션에 의해 정의된다. 예술 작품은 의미장들을 묶어 준다. 이는 정확히 개념들이 하는 일이다. 개념들이 의미장의 콤퍼지션들이다. 이 점에서 예술 작품은 급진적으로 유일무이한 개념들이라고 간주될 수 있는데, 그 개념하에는 오직 하나의 대상, 그 개념들이 특정하는 바로 그 예술 작품만이 포섭된다. 이런 방식으로 모든 예술 작품은 그것이 아닌 모든 다른 예술 작품을 배제한다.

실재의 고유한 구조로서의 개념이라는 차원은 오늘날에는 소위 언어학적 전회의 사후 충격에 의해 감추어져 버렸다. 이 접근에 따르면 개념들은 일반적으로 언어적으로 구성되며, 인간의 언어 사용에서만 제한적으로 사용되어야 한다. 하지만 이는 여러 수준에서 잘못된 것이다.

첫째, 이런 관점은 다른 동물들도 개념을 가지고 있음을 배제하는데, 이는 잘못이다. 왜 다른 동물들은 그들의 환경을 범주화하지 않는다고 생각하는가? 사자가 먹이와 장애물의 차이를 구별한다는 건 너무도 분명하다. 사자가 개념을 가지고 있다는 걸 스스로 알고 있다고 말하는 게 아니다. 그렇게 되면 이는 전혀 다른 문제가 된다. 그것을 표현할 언어를 가지고 있지 않아도 개념을 가질 수 있다는 것이다.

둘째, 이는 인간의 생각을 과도하게 그 언어적 표현과 동일시함으로써 유아들에게 개념을 부여할 여지를 없애 버린다. 이러한 맥락에서 촘스키는, 유명하게도, 인간에게 태생적 언어 구조가 있고 그것이 두뇌의 영역에서 재현된다는 터무니없는 생각을 제안한다. 하지만 지금까지 그 누구도 인간 두뇌에서 중국어나 러시아어 하드웨어 비트를 확인한 바가 없다. 여기서 언어학적 전회에 관해 상세하게 반박하고 촘스키 생성 문법의 토대를 이루는 많은 철학적 혼동에 대해 자세히 다루는 건 우리를 다른 길로 이끌 것이다. 여기서는 개념은 원칙적으로 언어적으로 코드화되어 있지 않다는 사실을 염두에 두는 것으로 족하다. 개념이 언어적으로 코드화되는 거라면 우리는 그것을 지칭하는 언어가 없다면 어떤 것에 관해서도 상세하게 생각할 수 없게 될 것이다.

예술 작품은 개념적이다. 실로 예술 작품은 새로운 개념들을 창조한다. 이것이 개념에 대한 들뢰즈 이해의 핵심에 있는 아이디어다.[31] 그는 우리가 개념들을 창조한다고 생각한다. 현실은 우리 없이는 스스로 개념들을 생산하지 않는다는 것이다. 들뢰즈가 철학과 예술이 서로 결탁하고 있다고 생각하는 이유가 여기에 있다. 예술 작품은 의미장들을 모으지만, 모든 장이 전적으로 들뢰즈가 말하는 의미에서 개념적인 것은 아니다. 몇 자루의 가위는 몇 자루의 가위이며, 가위 한 자루의 개념은 가위 한 자루의 개념이다. 여기서 가위는 그 개념과는 구별되지만, 그렇다고 우리가 (개념 없이) 가위를 생각할 수 없다거나 가위가 우리의 개념적 포착으로부터 퇴은해 있음을 의미하지는 않는다.

최근 철학은 새로운 종류의 실재론으로의 전환을 제안한다. 일반적으로 이 맥락에서 실재론이란 그 자체로는 개념들로 이루어지지 않은 실재에 특정한 개념들이 들러붙어 있다고 보는 관점이다. 예를 들어, 무엇인가를 지각할 때 나는 의식적으로 주목할 대상을 선택하면서 개념을 채택한다. 나는 커피의 맛이 기대만큼 좋지 않을 때 뭐가 문제인지 알려고 내 커피를 자세히 들여다본다. 이는 커피 맛이 더 좋거나 나쁘다고 판단하게 하는 커피에 대한 개념을 내가 가지고 있음을 전제한다. 마찬가지로 나는 내 안경에 대한 개념 덕분에, 지금 이 문장에서 개념에 대한 몇 가지 기본 가정을 스케치하기 좋은 사례로 안경을 떠올릴 수 있다. 우리가 개념에 의거해 알아볼 수 있는 모든 것이 그 자체로 개념은 아니라는 사실을 일깨워 주는 게 실재론의 포인트다. 개념은 대상들을 함께 모으지만, 대상들을 함께 모으는 것이 그 자체로 늘 개념인 것은 아니다.

콤퍼지션은 이러한 의미의 개념이다. 예술 작품은 의미 장들을 결합하는 개념이다. 각각의 경우에서 이 장들 중 일부는 감각적이어야 한다. 하지만 예술 작품의 감각적 측면을 예술 작품 자체와 혼동해서는 안 된다. 엄밀히 말하면 예술 작품은 보이거나 들리지 않는다. 예술과 접할 때 우리가 보거나 듣는 건 예술 작품이 아니라 특정한 장이거나 예술 작품을 구성하는 대상이다.

감각성 없는 예술은 없다. 예술 작품은 우리 자신에 의해서만 지각될 수 있는 실재에 기초하고 있다. 예술 작품은 대상들을 동원한다. 그렇다고 예술 작품이 그 대상들로 구성되는 것은 아니다. 오히려 그 반대다. 예술 작품이 그 대상들을 자신의 대상들로 구성하는 것이다.

예술 작품의 급진적으로 자율적인 본성은 대상을 보다 일반적인 의미의 대상으로 변화시킨다. 새로운 실재론에

나 자신이 기여한 핵심 주장은 실재가 전적으로 물리적 대상이나 넓은 의미의 자연 과학적 대상으로만 이루어지지 않는다는 것이다. 모든 대상이 자연 과학에 의해 연구되는 인과적 질서에 속하지 않는다. 생각, 기억, 미래, 프랑스, 도덕적 가치, 수, 제드 마르탱(미셸 우엘베크의 소설 『지도와 영토』에 나오는 화가) 등은 '저 바깥', 물질적-에너지적 우주의 직물에 엮여 있지 않다. 이들은 흥미로운 방식으로 물리적 우주와 겹쳐 있다. 그렇다고 이들의 존재를 물리적 우주에 있는 어떤 대상으로 환원하는 잘못을 저질러서는 안 된다.

예술 작품도 마찬가지다. 예술 작품은 그것을 구성하는 물질적-에너지적 레이어들로 환원되지도, 그와 동일시될 수도 없다. 심지어 어떤 예술 작품의 아이디어, 콤퍼지션이 순수한 물리적 현존을 넘어서는 어떤 것도 암시하지 않는 발견된 오브제만으로 이루어진다 하더라도, 그 아이디어 자체는 결코 물리적인 것으로 환원될 수 없다.

결론적으로 말해 이 환원 불가능한 예술 작품의 실재가 예술 작품의 급진적 자율성의 속성이다. 물리적인 것은 모두 법칙 같은 규칙성으로 특징지어질 수 있다. 우주에 있는 대상들은 리얼 패턴[32], 우리가 그냥 꾸며 낼 수 없는 패턴을 보여 준다. 아니 물리적 대상들이 참된 패턴, 반복 가능한 구조들이라 말하는 게 나을 수도 있겠다. 하지만 이는 과학과 자연에 대한 철학의 문제. 중요한 점은 우주에 있는 대상들은 해석하지 않고서도 연구할 수 있다는 것이다. 우리는 자연이라는 책을 해석함으로써 보손^{boson} 질량을 구성할 수는 없다. 자연은 책이 아니다. 책은 저자에 의해 생산되는 인공물이다. 자연은 인공물이 아니다. 자연은 누구에 의해 생산된 것이 아니다. 보손 질량은 퍼포먼스를 포함한 인간 행위로부터 거의 전적으로 독립적이다(고에너지 실험 세팅 등을 통해 우주의 내적 구조에 간섭하는 등 우주에 대한 우리의 인과적 개입 가능성을 예외로 하면 말이다). 물론 여기에는 많은 인식론적 문제가 있으며, 이는 자연 과학의 존재론이 다루는 문제. 그렇다 하더라도 물리적 우주 전체가 우리가 그것을 해석해야만 존재하는 매개 변수에 전적으로 의존되어 있다고 믿는 건 정신 나간 짓이다. 이는 우리를 글자 그대로 미니어처 신으로 바꾸는 일이다.

(인간이 상당한 물리적 영향력을 갖는 행성 지구와 그 주변을 넘어서는) 우주에서 절대 다수의 사건, 구조와 대상들은 우리의 퍼포먼스 결과물이 아니다. 인간의 퍼포먼스에 의해 만들어진 은하계는 단 하나도 없다. 이를 부인하면 철학은 더 이상 당신을 도와줄 수 없다. 그쯤 되면 유능한 정신 의학자를 찾아가는 게 좋겠다. 그는 자연이 그 누구에 의해

서도, 신이나 신들의 그룹에 의해서도, 더 분명하게는 인간에 의해 만들어지지 않았다는 것을 당신이 이해하는 데 도움을 줄 것이다. 설사 신 또는 신들이 존재한다 하더라도 실재가 그들의 창조물이라는 의미를 우주 내부의 인과 관계와 혼동해서는 안 된다. 신은 목수가 테이블을 만들고 내가 이 에세이를 쓰는 방식으로 우주를 창조한 것이 아니다. 만일 신이 우주를 창조했다면, 그 창조 행위는 형이상학적 맥락에서만 설명할 수 있는데 그 사유와 설명은 이 에세이의 경계를 넘어선다(수천 년간 대부분의 신학적 전통은 그 사유와 설명이 인간이 생각할 수 있는 경계 너머에 있다고 주장해 왔다).

예술 작품은 자연적이지 않다. 예술 작품은 자연에 각인되어 있는 리얼 패턴이 아니다. 예술 작품이 그 콤퍼지션을 통해 창조해 내는 구조들은 우주에서는 찾을 수 없다. 그 구조들은 감각에 의해 지각되거나 자연 과학의 프리즘을 통해 연구될 수 있는 것이 아니다. 그것들은 해석되어야 한다. 다른 말로 하면 수행되어야 한다. 그 수행 속에서만 예술 작품은 더 깊은 이론적 분석에 자신을 드러낸다.

예술 작품에 대한 이론적 분석은 인문학 내부의 상이한 관점에 의해 서로 다른 전문화된 형태를 통해 행해지고 있는데, 이는 인간 정신 내에서 수행되는 예술 작품의 퍼포먼스를 추적하는 두 번째 단계의 연구다. 우리는 소설에서 묘사된 장면을 상상하지 않고서는 프루스트의 『잃어버린 시간을 찾아서』를 분석할 수 없다. 일차적으로 우리가 소설의 실재 속에 들어가야만 그 작품의 언어, 작품 전반에 걸친 복수적 상호 참조, 이 작품의 생산과 수용의 역사 등을 포함하는 작품의 콤퍼지션을 분석할 수 있다. 이러한 분석은 자연 법칙이나 우주에 있는 리얼 패턴을 밝히는 일이 아니라, 아이디어의 환원 불가능한 실재성과 접하는 것이다.

주어진 예술 작품의 환원 불가능성은 그것이 바로 그러하다고 하는 사건의 급진적 자율성의 한 기능이다. 스콧 콜리의 재즈곡 제목(그리고 그 퍼포먼스)이 멋지게 표현하듯, **그것이 바로 그러한**(Is What It Is) 것이다.

예술 작품 사이에 공통된 실체적인 것은 없다. 서로 다른 두 작품에 모두 통용되는 콤퍼지션은 없다. 메타-작품, 콤퍼지션의 콤퍼지션은 있을 수 있지만 그것은, 우리가 예술 작품의 환원 불가능하고, 절대적으로 유일무이한 콤퍼지션과 맞닥뜨리는 곳에서 멈출 수밖에 없다.

예술과 힘

    예술의 급진적 자율성은 인간의 삶을 막다른 골목으로 이끈다. 이 막다른 골목이 예술의 힘의 과시다. 독일 철학자 안드레아 케른은 이 문제를 그녀의 방식으로 멋지게 제시한다.[33] 예술 작품의 급진적 자율성이란 그 작품에 대한 모든 지각, 모든 접촉이 그 예술 작품의 부분이 된다는 것을 의미한다고. 예술 작품을 지각하려면 당신은 그것을 해석해야 한다. 다시 말해 그것을 수행해야 한다. 교향곡을 듣는 건 그 교향곡의 일부이고, 피카소의 조각을 보는 건 그 조각의 일부이며, 파리의 레스토랑 Le pré Catelan의 음식을 맛보는 것은 그 음식의 일부다. (한 예술 작품의 콤퍼지션에 대해 생각하는 경험을 포함해서) 우리의 경험이 예술 작품의 자기 구성에 참여하는 이 방식을 전통적으로는 미적 경험이라 불렸다. 문제는 미적 경험이 우리를 완전히 예술 작품 속으로 빨아들인다는 데 있다. 그렇게 예술 작품의 일부가 되면 우리는 거기서 벗어나지 못한다. 인간은 자율적 방식으로 예술 작품에 들어가거나 그것을 떠날 능력을 갖고 있지 않다.

물론 우리가 오페라 티켓을 구매할 수 있고 공연 도중 극장을 떠날 수 있다는 건 분명하다. 하지만 예술 작품으로서의 오페라에 들어가거나 떠난다는 의미는 이런 것이 아니다. 예술 작품이 자기 앞에 있으나 그것을 좀처럼 이해하지 못하는 경험은 누구든 해 보았을 것이다. 그 예술 작품으로 들어가는 길을 찾지 못하고 그 아름다움도 이해하지 못하는 것이다. 우리가 예술 작품 속으로 빨려 들어갈지 아닐지는 예술 작품의 힘에 달려 있다. 어떤 준비를 하든 우리에게 이 힘이 보장되지는 않는다. 예술의 역사를 익힌다고 주어진 예술 작품을 위한 준비가 갖추어지지는 않는다. 지적인 훈련은 이론적 분석에 도움이 되고 미적 경험에 대한 정보를 줄 수는 있다. 그러나 미적 경험은 사전 훈련 없이도 가능하다.

달리 말하자면, 미적 경험은 일어나거나 일어나지 않는 것이다. 미적 경험이 일어난다면 그것은 예술 작품 내부에서 일어나는 운동이다. 다르게 말하자면 미적 경험에는 관람자가 없다.

이는 꽤 분명한 사례를 통해 설명될 수 있다. 극장에서 영화, 예를 들어 히치콕의 「사이코」를 보고 있는 나는 욕실에서 살해당하려는 순간의 매리언 크레인에게 말 그대로 소리를 질러 경고하지 않는다. 내가 스크린을 통해 그녀의 현실로부터 차단되어 있고 그녀 역시 나의 현실에서 차단되어 있음을 알기 때문이다. 나와 그녀는 동일한 의미장에 있지 않은 것이다. 그런데도 그 장면이 펼쳐지는 것을 보는 나는 무엇인가를 느낀다. 나의 미적 경험이 나를 영화의 의미장으로 끌어들이는 것이다. 그렇다고 노먼 베이츠가 나를 볼 수 있을 정도로 끌어들이는 것은 아니다.[34] 예술 작품의 자기-구성에 내가 참여하는 정도에 따라 예술 작품은 내 정신의 무대에서 자기 자신을 수행한다. 나의 정신이 예술의 자기-표명이 되는 것이다.

이 구조에는 예술 작품을 외부로부터 들여다보는 관람자라는 의미의 주관적인 것의 여지가 없다. 두 편의 인기 영화가 이를 멋지게 예시해 준다. 「에이리언」과 「스타워즈」다. 콤퍼지션 차원에서 「에이리언」은 인간의 몸을 숙주로 이용해 번식하는 무자비하게 폭력적인 생명체에 대한 것이 아니다. 이는 플롯의 일부일 뿐 콤퍼지션이 아니다. 콤퍼지션 차원에서 「에이리언」은 그 영화 자체가 우리 인간을 자기-창조를 위한 숙주로 사용한다는 사실에 대한 것이다. 우리는 「에이리언」이라 불리는 예술 작품이 자신을 표명하는 사건을 위해 숙주가 된 유기체다.

영화관에서 투사된 빛의 유희가 예술 작품이 되는 건 이 예술 작품이 관객을 스크린으로 이용하기 때문이다. 영화는, 우리가 순진하게 믿는 것처럼 극장 스크린이 아니라 우리 정신의 스크린에 투사된다. 스크린에 투사된 것은 광선 빛이고 그것이 정보를 운반한다. 그것을 보는 관객은 즉각 이 정보를 그 안에서 대상들이 플롯이나 스토리의 형태로 조직되는 영화라고 해석한다. 그렇기에 우리는 영화 「에이리언」의 숙주이며, 그 영화는 자신의 존속을 위해 우리 정신에 기생한다. 우리가 영화를 본다는 단순한 사실을 통해 그것을 해석하는 동안, 우리는 우리가 스크린에서 보는 에일리언을 낳는 것이다. 영화는, 보이지 않는 제4의 벽*이 무대에서 벌어지는 사건과 관객을 분리시키는 연극과는 다르다. 연극과는 달리 극장에서 우리는 영화의 존재로 빨려 들어간다. 이러한 관점에서 크리스토퍼 놀런의 「인셉션」 같은 영화를 생각해 보라. 그 영화 자체가 인셉션

---

* 연극에서 관객과 무대 사이에 존재하는 눈에 보이지 않는 벽. 그 벽으로 인해 관객은 무대 위에서 벌어지는 사건에 직접 개입하지 않는다. - 옮긴이

inception이다!

사람들은 왜 「스타워즈」에 광선 검이 나오는지, 왜 그렇게 많은 SF 영화 속 무기들이, 빛(레이저라는 형태로)이 누군가를 죽일 수 있다는 가정에서 작동하는지 묻지 않는 경향이 있다. 모든 속편을 포함해 「스타워즈」를 보는 경험은 점점 더 순수한 스펙터클, 레이저 쇼가 되어 간다. 영화 「로그원 : 스타워즈 스토리」가 영웅 전설의 콤퍼지션에 대한 것인 이유도 여기에 있다. 이 영화를 보는 건 초스피드 레이저 쇼의 폭격을 받는 것과도 같다. 아니 이는 실로 우리 감각 장치에 대한 공격이며, 극장 스크린이 어떻게 우리의 현실에 진입해 그 현실을 점령하는지를 분명히 보여 준다. 우리는 예술 작품의 사건에 적극적으로 연루되고, 예술 작품은 이것이 플롯에 대한 것이라는 환영을 통해 우리를 붙들어 놓는다.

이것이 할리우드의 힘의 일부이자 그 힘의 보따리다. 할리우드는 플롯과 장르의 환영 위에 기반한다. 많은 성공적인 영화가 영웅 전설과 속편으로 포장되어 나오는 것도 이 때문이다. 이것이 할리우드가 플롯을 고려한다는 환영을 만들어 내지만, 사실상 스튜디오들이 거래하는 건 미적 경험의 힘이다. 「사이코」 같은 할리우드 영화는 다른 예술 작품들만큼이나 급진적이다. 리메이크는 절대로 단순한 카

피가 아니고 늘 또 다른 예술 작품이다. 그것 또한 예술의 힘을 과시한다.

이로부터 미적 경험의 역설이라는 문제가 생겨난다. 예술을 경험하는 한 나는 존재하기를 멈춘다. 나는 자율적인 행위자인데, 이런 나의 자율성이 예술의 힘의 자율성에 의해 위협받기 때문이다. 나는, 근본적으로 인간의 구조에 기여하는 일정한 규칙들을 따름으로써, 그러한 존재로 나 자신을 구성한다. 이 보편적 구조가 칸트가 '정언 명령'이라 일컫은 도덕법의 형식이다. 인간이 존엄성을 갖는 건 이 덕분이다. 인간의 존엄성이란, 우리의 자율성이 보편적 구조의 기능이라는 점에서, 우리 모두가 근본적으로 동등하다는 사실에서 도출된다. 그런데 미적 경험 속에서 우리는 도덕적으로 마비된다. 우리는 급진적 자율성을 갖는, 그렇기에 그 구성에 아무런 힘도 발휘할 수 없는 어떤 과정과 힘에 종속된다. 해석이란 자유로운 행위도, 인간 측에서 이루어지는 자율성의 행위도 아니다! 예술 작품은 최고로 자유롭고 막강하다. 그 힘은 도무지 인간 주체가 컨트롤할 수 없는 생경한 세력이다.

이것이 의미하는 바는 미적 경험을 할지 말지를 우리가 결정할 수 없다는 것이다. 우리는 영화 티켓을 구매하거나 리스본의 고급 레스토랑 테이블을 예약할 수는 있지만, 그렇다고 미적 경험의 획득을 보장받을 수는 없다. 영화의 아름다움을 감지하지 못할 수도, 제공된 음식을 별로 즐기지 못할 수도 있다. 미적 경험은 바이러스나 「에이리언」의 외계 생명체처럼 불현듯 생겨나서 인간의 삶을 붙잡는다. 리들리 스콧의 영화 「프로메테우스」와 「에이리언 : 커버넌트」가 플롯과 콤퍼지션 두 차원 모두에서 주장하는 것은, 인간은 예술 작품의 창조물이라는 것이다. 우리의 자율성은 예술로부터 빌려 온 것이다.

인간의 자율성에 관해서는 두 가지 설명이 서로 대결한다. 첫 번째는 칸트의 자율성 개념을 해명하려는 요한 고틀리프 피히테가 주창한 것이다. 두 번째는 피히테의 비판자인 프리드리히 빌헬름 요제프 셸링과 독일 낭만주의의 다른 철학자들(가장 유명하게는 프리드리히 슐레겔)이 제안한 것으로, 미적 경험의 역설은 여기에 해당된다.

첫 번째 설명에 따르면 인간은 역사의 어느 시점에 도덕법에 복속함으로써 스스로를 구성했다. 혹은 피히테에 의하면, 도덕법에 스스로 복속하기 전 인간은 인간이 아니었다. 인간이란 도덕성에 복속된 자기 자신에 대한 경험과 함께 시작된다. 피히테가 일신교가 태초에 계시가 있었다고 가르친다고, 도덕성의 정언 명령은 신의 의지를 소통하려고 우리에게 보내진 선지자들이라고 설명하는 이유도 여기에 있다. 피히테가 전통적인 의미에서 신을 믿었다고 말하는 것이 아니다. 오히려 그는 신을 도덕 법칙에 통합시켰고 그로 인해 평생 무신론자라고 비난받았다.

두 번째 모델(이를 낭만주의적 이상이라 부르자)은 예술 작품이 우리의 자율성을 구성한다고 주장한다. 우리는 이미지에 의해 창조되었다. 우리는 신의 이미지가 아니라 이미지의 이미지에 따라 창조되었다. 사실, 이런 식으로 인간의 역사를 예술 작품의 프리즘을 통해 들여다보는 일이 전혀 허황된 것은 아니다. 인간과 비인간의 관계 맺음을 상징화하기 시작한 시기에 비로소 우리는 자기-의식적이고 자기-운동적인 생각하는 자로 존재하기 시작했기 때문이다.

낭만주의적 이상에 따르면 예술 작품은 자율성의 현현(顯現)이다. 최초의 동굴 벽화와 아름답게 제작된 도구들은 미적이고 급진적인 자율성의 구조를 인간의 삶에 빌려준다. 이 모델 위에서 인간의 자율성은 예술의 자율적 세력에 봉사한다. 예술이 그 자신의 이미지에 따라 우리를 창조한 것이다.

예술의 음모라는 급진적 사고는 실지로, 예술 작품은 자기 자신 외에는 아무 이유도 없이 존재한다는 점에서는 꽤 타당하다.[35] 예술 작품은 존재하자마자 해석된다. 그 해석은 우리를 끌어들여 우리가 그 속으로 들어가거나 빠져

나올 여지가 없게 만든다. 일단 이 과정이 시작되면 우리 인간은 하나의 미적 경험에서 다른 미적 경험으로 이리저리 끌려다닌다. 우리의 부모는 어린이 책에 묘사된 전형적인 장면들의 도움으로 우리에게 말을 가르쳤고, 우리는 집, 교회, 모스크, 법당, 텔레비전과 학교에서 이야기를 듣는다. 우리는 건축물에 잠기고, 음악을 듣고, 디자인 제품을 사용한다. 우리는 무한히 확장 중인 예술 작품의 네트워크에 몰입되어 있다.

그렇다고 인간을 이 네트워크 내의 한 노드^{nod}로 만드는 건 잘못된 일일 것이다. 브뤼노 라투르의 행위자-네트워크 이론에 의해 대표적으로 제기되고 있는[36] 그러한 인간의 존재론은 거친 포스트모던적 과장일 뿐이다. 인간은 그저 차이의 네트워크 내의 노드가 아니다. 그러한 모델은 예술의 급진적 유일무이성을 이해하는 방식에는 상응하지만, 인간 행위자의 자율성을 이해하는 방식에는 상응하지 않는다. 행위자-네트워크 이론과 사회학 내 그와 유사한 체계 이론적 접근은 인간 행위자의 자율성을 (부정하지는 않더라도) 모호하게 만든다.

모든 인간은 복수의 의미장에 존재한다. 우리는 (박테리아처럼 우리 몸에 서식하는 모든 형태의 생명체를 포함한) 다양한 하위 체계를 동시에 지니고 있는 유기체이고, 일정한 감각 등록기를 갖춘 의식적인 동물이며, 의식하고 있는 우리 자신을 사유할 수 있는 자기의식적 존재이고, 프로이트적 에고를 갖는다 등등. 하지만 우리는 또한 서로 다른 의미장에서 우리의 다양한 모습을 통일할 수 있는 한에서 자율적 행위자이기도 하다. 이 통일은 도덕적 가치 판단의 지배를 받는다.

하지만 예술 그 자체는 자신을 넘어서는 어떠한 가치 판단의 지배도 받지 않는다. 예술의 자율성은 급진적이기 때문이다. 이는 예술에 노출됨으로써 우리의 자율성이 촉발될 수도 있음을 의미한다. 우리는 예술의 자율성을 거울처럼 비춘다. 하지만 인간이 살아가는 커뮤니티의 통일성은 도덕적이고 법적이며 일반적으로 정치적이며, 이 통일성의 형식은 예술의 형식을 갖지 않는다.

예술은 탈도덕적이고, 탈법적이며, 탈정치적이다. 그렇기에 예술의 힘은 절대적 힘이다.

이와 비슷한 이유에서 예술은 탈종교적이다. 일신교가 신이 예술의 현존과 절대적인 갈등 속에 있다고 가르치는 건 우연이 아니다. 예술 작품은 신만이 유일한 절대자라는 주장에 시비를 거는 절대자다.

전통적으로 철학자들은 절대적인 건 단 하나일 수밖에 없다고 믿었다. 가장 유명한 것은 스피노자가 그의 주요 저

서인 『에티카』에서 주장한 가설이다. 곧, 절대자는 그 어떤 의미에서도, 그보다 앞서는 어떤 것에 의해서도 근거 지어질 수 없이 존재한다. 절대자는, 그를 그렇게 존재하도록 하는 무엇인가에 대한 어떠한 외적인 관계도 갖지 않는다. 만일 다른 절대자가 존재한다면, 그 둘 사이의 관계가 만들어질 것이며 이는 그 둘의 상호 근거 정립의 가능성을 열 것이다. 그렇기에 절대자들을 정의하는 절대자들 사이의 관계는 배제되어야 한다.

그럼에도 불구하고, 내가 다른 곳에서 상세하게 전개한 바 있는 의미장의 존재론[37]은 절대자에 대한 이 전통적 사유 방식을 우회할 수 있게 해 준다. 예술 작품은 급진적으로 자율적인 존재라는 점에서 절대적일 수 있다. 예술 작품은 서로 고립되어 있다. 예술 작품은 인간을 그 속에 끌어들이고, 일단 우리를 붙잡고 나면 또 아무 이유 없이 우리를 풀어놓기도 한다. 예술 작품은 존재론적 블랙홀과 같다. 예술 작품은 그곳에 접근하려 시도하자마자 그 안에서 길을 잃게 할 만큼 막강하게 자율적이다. 예술 작품이 어떤 분명한 이유도 없이 당신을 밖으로 내던졌다면 (물리적 블랙홀에서는 이런 일이 일어나지 않는다) 당신은 자신이 변형되었음을 알게 될 것이다. 미적 경험을 통한 이러한 변형은 의도적이지 않다. 어떤 예술가도 한 예술 작품을 해석한 후

당신에게 일어날 일을 예견할 수 없다.

이로 인해 비예술적인 의미장에서 온 많은 행위자나 행위 주체는 예술의 힘을 두려워한다. 종교, 철학, 과학과 정치는 예술에 의해 곤란을 겪는다. 그들은 종종 예술에 맞서 싸우려 한다. 하지만 예술은 언제나 그들의 손아귀에서 빠져나간다. 예술 그 자체는 다른 의미장이 접근할 수 없는 곳에 있다. 예술은 정확한 의미에서 절대적이다.

모든 예술 작품은 절대자다. 예술 작품은 스스로에게 자신의 법칙을 부여한다. 그렇게 하면서 예술은 해석을 필요로 한다. 반드시 그런 건 아니지만 대부분의 경우 첫 번째 해석은 예술가의 해석과 함께 일어난다. 플로베르가 『보바리 부인』을 구상할 때, 예술 작품(에마는 개인이지 예술 작품이 아니다)이 존재하기 시작한다. 예술 작품이 자기 자신을 수행하기 위해 예술가의 정신을 사로잡는 것이다. 이런 활동이 없다면 예술 작품은 존재하지 않을 것이다. 예술 작품의 존재는 예술 작품 바깥의 무언가에 의해 촉발되지 않는다. 예술 작품은 아무 이유 없이 존재하기 시작한다. 예술 작품은 그저 거기 있게 되는 것이다. 낭만주의 철학자 셸링은 이 구조를 어떻게 인간 존재가 신의 정신 속에 존재하게 되는지에 대한 신현(神顯)적^{theophany} 비전의 견지에서 인상 깊고 매우 상징적인 문장으로 묘사한다.

"신은 자신과 유사한 것 안에서만, 자기 스스로 자유롭게 활동하는 존재들 안에서만 자신을 드러낼 수 있다. 이 존재들은 신 외에는 어떤 이유도 없이 존재하며 신이 있는 한 존재한다. 신이 말하고, 그들이 거기 있게 된다. 세계의 모든 존재가 신의 마음에 있는 생각일 뿐이라 해도, 바로 그 이유로 그들은 살아 있는 것일 수밖에 없다. 생각은 영혼에 의해 산출될 것이다. 하지만 산출된 생각은 독립적인 힘으로 인간 영혼 속에서 스스로 활동을 계속하면서 자신을 낳은 모친을 억누르고 복속시킬 만큼 자라난다. 그러나 세계 존재들의 특수화의 원인인 신의 상상력은, 자신이 만들어 낸 피조물에 이상적인 현실성만 부여할 뿐인 인간의 상상력과는 다르다. 오로지 자립적인 존재만이 신을 재현할 수 있다. 우리가 비자립적인 것을 본다는 사실이야말로 우리 표상을 한계짓는 요소가 아니고 무엇이겠는가? 신은 사물을 그 자체로 직관한다. 영원한 것만이 그 자체로 자기 자신을 토대로 삼는다. 의지와 자유가 그러하다. 파생된 절대성 또는 파생된 신성이라는 개념은 모순이 아니라 전체로서의 철학의 중심 개념이다. 자연에 걸맞는 것이 그러한 신성이다. 신 안에서 내재성이 모순을 일으키지 않듯, 자유로운 것은 그것이 자유로운 한, 신 안에 있고, 자유롭지 않은 것은 그것이 자유롭지 않은 한, 필연적으로 신의 외부에 있다."[38]

낭만주의적이게도 셸링은 창조(무엇인가의 존재의 시작)를 예술의 존재론에 통합시킨다. 결국 그에게 가장 중요한 점은 존재하는 모든 게 예술 작품이라는 것이다. 그러나 이런 황홀한 비전은 예술에 대한 진리를 과장한 것이다.

우리가 새로운 생각을 생각할 때마다 (우리의 의식적인 삶 속에서 계속 일어나듯) 생각은 우리의 의식을 점령한다. 지금 나는 내가 이 문장을 쓰고 있다고 생각한다. 그런데 내가 이 문장을 쓰는 동안, 마치 이 문장이 내 정신을 매개로 나를 착취하면서 스스로를 완성하는 것 같다. 생각은 우리에게 일어난다. 우리는 생각을 생산하기 위해 그 배후로 물러날 수 없다. 그렇게 했다면, 우리가 만들어 내는 건 우리가 생산하고 싶은 생각에 대한 생각일 것이고, 이 생각은 처음에 생산하려던 것이 아니게 된다. 달리 말하면, 생각함은 우리가 실지로 생각하는 생각을 경유해서만 우리의 컨트롤 아래에 있다. 우리가 우리의 정신적 삶을 컨트롤하는 길은 어떤 생각을 생각하고, 어떤 것을 생각하지 않을지를 분류함으로써, 곧 무엇을 참으로, 무엇을 거짓으로 받아들일지를 결정하는 것이다. 그런데 이 행위 또한 결코 완전히 컨트롤할 수 없다. 인간의 생각은, 자기 자신의 법칙(논리와 지적인 표명의 법칙)을 따르는 또 하나의 절대자인 것이다.

생각함과 예술 작품의 차이는 예술 작품이 논리 법칙에 종속되어 있지 않다는 점이다. 예술 작품은 모순으로 가득 차 있지만 이것이 예술 작품의 존재를 위협하지는 않는다. 생각하는 자가 난센스 시처럼 앞뒤가 안 맞는다면 그는 생각하는 자가 아닐 것이다. 도덕 법칙을 전혀 존중하지 않는 사람은 악이 되지는 않더라도 도덕성의 요구에 무지한 자가 된다. 급진적인 악조차 선에 대항하기 위해 바로 그 선의 이념을 이용한다.

(이와는 달리) 예술은 탈논리적이다. 콤퍼지션은 비모순율의 원리 같은 논리학의 보편 원리의 견지에서 구조화되지 않는다. 논리적으로 생각하려면 나는 내가 사용하는 언어의 용어들이 안정적인 지시의 조건을 따르는지 확인해야 한다. 내가 보리스 존슨에 관해 생각한다면 '보리스'라는 용어는 영국 총리의 이름이지 보리스 옐친의 이름이 아니라고 전제된다. 마찬가지로 여기서 '보리스 존슨'은 영국 총리를 지시하는 것이지 같은 이름을 가진 다른 사람을 지시하는 것이 아니다. 보리스에 관해 생각하면서 '보리스'라는 단어의 의미를 계속 바꾸어서는 안 된다. 그렇게 하면 보리스에 관해 생각하는 게 아니게 될 것이다. 이와는 달리

예술 작품은 논리와 커뮤니케이션의 규칙, 일상적 이해 가능성의 규칙에 종속되어 있는 그런 의미론적 원리를 따를 필요가 없다.

예술의 탈논리성은 그 급진적 자율성의 다른 특징이다. 예술 작품은 개별자이며 그 존재는 어떤 측면에서도 그 어떤 보편적 구조에 본질적으로 묶여 있지 않다.

이 에세이 서두에서 말한 것처럼 예술은 도처에 있다. 예술은 우리 경험에 스며들어 있는 절대자다. 우리의 논리적·도덕적 의무의 견지에서 보면 우리의 미적 경험은 역설이다. 이는 인간의 삶 속에 인간의 모든 컨트롤을 초과하며 자신을 드러내는 막강한 요소가 있다는 걸 의미한다. 그 요소가 그 자체로서의 예술이다. 그 자체로서의 예술은 관람자의 눈에 있는 것이 아니다. 예술 작품을 창조하는 건 우리가 아니다. 예술 작품 스스로가 존재하기 위해 우리를 참가자로서 창조하는 것이다. 예술 작품은 자신의 도래를 앞서 예고하지도 않는다. 예술은 그 존재에 외적인 어떤 이유도 없이 그냥 거기에 있다. 우리는 그것에 저항할 수도, 그것을 없애 버릴 수도 없다.

예술 작품은 더할 나위 없이 막강한 독립체다. 예술 작품을 다루는 데 중요한 것은 올바른 예술의 존재론을 갖고 예술이 그 자체로 무엇인지 아는 일이다. 한마디로, 예술은 그것을 통일하는 데 기여하는 어떤 실체적 척도에도 종속되지 않는, 급진적으로 자율적인 개별자가 거주하는 의미장이다. 그런데 예술의 이러한 형식적 구조가 예술을 평가하는 데 도움을 주지는 않는다. 이는 예술 작품이 존재한다는 것이 무엇인지를 정의하는 데만 도움을 줄 뿐이다. 우리가 마주치는 모든 예술이 좋은 예술인 것도, 모든 예술이 우리가 그것을 접했을 때 예술로 알아볼 수 있는 것도 아니다. 예술은 우리 의식의 레이더망 아래에 숨어 힘을 발휘할 수 있다. 그렇기에 예술은 위험한 것이다.

이 에세이에서 나는 예술의 급진적 자율성을 이야기해 왔다. 내가 이해하기로, 이는 칸트와 실러가 남긴 예술의 자율성에 대한 전통적 개념을 넘어선다. 이 사상가들에게 예술은 도덕성 같은 것이고 그래서 인간 존재의 개선에 기여할 수 있다. 그럴 수도 있겠지만 그렇지 않을 수도 있다. 우리를 개선시키거나 멸망시키는 건 둘 다 예술의 본성과는 무관하다. 예술 그 자체는 그런 것에는 신경도 쓰지 않는다.

다시 한번 경고를 반복하면서 결론을 내 보자. 우리는 예술과 존재를 혼동해서는 안 된다. 존재하는 것은 일반적으로 예술 작품이 아니다. 보손^{boson}과 인간도, 전체로서의 우주도 예술 작품이 아니다. 존재하는 모든 것이 보편 법칙에 종속되지 않는 자율적 창조물이 아니다.

　니체에 반대해 우리는 세계가 미적 현상으로 정당화될 수 있는 건 아니라고 주장해야 한다. 세계는 미적 현상이 아니기 때문이다. 낭만주의는 이 점에서 잘못되었다. 그렇지만 니힐리즘 역시 근거 없기는 마찬가지다. 가치, 아름다움, 진리는 현실 자체에 존재한다. 예술 그 자체가 아름다운 이유는 어떤 예술 작품이 아름답기 때문이다. 예술적 아름다움은 어떤 예술 작품이 그 콤퍼지션에 의해 정립된 기준에 부응한다는 것이다. 이 기준은 외부적 관점에서 평가될 수 없다. 모든 예술 작품은 스스로를 판단한다. 예술 작품은 자기 스스로의 미적 판단이다. 예술은 인간이 그것을 좋아하는지 아닌지 묻지 않는다. 우리가 예술 작품으로 끌려 들어가거나 그러지 않을 뿐이다. 이것이 예술의 힘이다.

미주

1 G. W. F. Hegel, *Vorlesung über die Ästhetik, in Werke,* Vol. 13 (Suhrkamp), p.151.

2 예를 들어 다음 책을 보라. Wolfgang Ullrich, *Siegerkunst : Neuer Adel, teure Lust* (Klaus Wagenbach, 2016).

3 닉 보스트롬의『슈퍼인텔리전스 : 경로, 위험, 전략』(조성진 옮김, 까치, 2017)은 레이 커즈와일의『기술이 인간을 초월하는 순간 특이점이 온다』(김명남·장시형 옮김, 김영사, 2007)로 유명해진 철학적 아이디어를 이야기하고 있다.

4 이러한 인간 개념에 대해서는 마르쿠스 가브리엘의『왜 세계는 존재하지 않는가』(김희상 옮김, 열린책들, 2017)와 *Fields of Sense : A New Realist Ontology* (Edinburgh University Press, 2015) 등을 참조하라.

5 이에 대해서는『생각이란 무엇인가』(전대호 옮김, 열린책들,2021)를 참조할 것.

6 이와 관련해 가장 유명한 책은 다음과 같다. C. 카스토리아디스, 사회의 상상적 제도 1』(양운덕 옮김, 문예출판사, 1944), Markus Gabriel, *Fiktionen* (Suhrkamp, 2020).

7 장 폴 사르트르, 『사르트르의 상상계』(윤정임 옮김, 기파랑, 2010).

8 이에 대해서는 마이클 핀들리의 『예술을 보는 눈』(이유정 옮김, 다빈치, 2015)을 참조하라.

9 Arthur C. Danto, "The Artworld", *The Journal of Philosophy* 61/19(1964), pp.571-584.

10 이러한 관점을 보편 사회 이론으로 매우 분명하게 제시한 책은 John R. Searle, *The Construction of Social Reality* (New York, 1995), 같은 저자의 *Making the Social World : The Structure of Human Civilization* (Oxford, 2010) 등이다.

11 새로운 실재론 입문을 위해서는 마르쿠스 가브리엘의 『왜 세계는 존재하지 않는가』(김희상 옮김, 열린책들, 2017)와 Maurizio Ferraris, *Manifesto of New Realism* (SUNY Press, 2014)을 참조하라. 실재가 구성되는 것이거나 그렇지 않다면 인간 행위에 상대적이라는 생각에 대한 강력한 반박은 Paul Boghossian, *Fear of Knowledge : Against Relativism and Constructivism* (Clarendon Press, 2007)을 참조할 것. 구성주의를 임종 침대에서 되살려 내려는 최근의 시도는 Donald Hoffman, *The Case Against Reality : How Evolution Hid the Truth from Our Eyes* (Penguin Books, 2019), 이러한 신드롬에 대한 반대는 마르쿠스 가브리엘의 『나는 뇌가 아니다』(전대호 옮김, 열린책들, 2015)를 참조하라.

12 Immanuel Kant, *Critique of the Power of Judgement* (Cambridge University Press, 2000), §9.

13 이에 대해서는 마르쿠스 가브리엘의 『왜 세계는 존재하지 않는가』(김희상 옮김, 열린책들, 2017)를 참조할 것.

14 David Deutsch, *The Beginning of Infinity : Explanations that Transform the World* (Penguin Books, 2011). 15 퀑탱 메이야수, 『유한성 이후』(정지훈 옮김, 도서출판 b, 2010), 그레이엄 하먼, 『쿼드러플 오브젝트』(주대중 옮김, 현실문화, 2019).

16 이러한 관점을 분명히 표명하는 책으로는 그레이엄 하먼의 *Art and Objects* (Polity Press, 2018)가 있다. 내가 이 에세이의 첫 번째 버전을 썼을 때 하먼의 이 책은 아직 출간되지 않았다. 그렇기에 나의 이 짧막한 언급은 매우 정교하게 구성된 그의 관점에 세부적으로까지 타당할 수는 없다. 하먼에 관한 더 완전한 논의는 다음 기회로 미루어 놓는다.

17 이를 우아하게 표명한 책은 조셀랭 브누아의 *Le Bruit Du Sensible* (Du Cerf, 2013)이다.

18 이와 관련해서는 사이먼 베이커, 마르쿠스 가브리엘, 페터 바이벨의 에세이가 수록된 최근 비엔날레 도록을 참조하라. *Erwin Wurm : One Minute Sculptures 1997-2017* (Hatje Cantz, 2017).

19 G. F. W. Hegel, *Kantische Philosophie, in Werke* (Berlin, 1832), S. 29.

20 Aristotle, *De Anima On the Soul* (Cambridge University Press, 2010), Book 3, chapter 1:2.

21 마르쿠스 가브리엘의 『왜 세계는 존재하지 않는가』(김희상 옮김, 열린책들, 2017).

22 Thomas Görnitz, *Quantum Theory as Universal Theory of Structures-Essentially from Cosmos to Consciousness in :*

Advances in Quantum Theory (In Tech, 2012). 독일어 독해가 가능하다면 다음 책을 강력 추천한다. Thomas Görnitz, Brigitte Görnitz, *Von der Quantenphysik zum Bewusstsein-Kosmos, Geist und Materie* (Springer Verlag, 2016).

23 Mark Johnston, *Saving God : Religion after Idolatry* (Princeton University Press, 2009).

24 John L. Austin, *Philosophical Papers* (Oxford University Press, 1979).

25 33쪽에서 지적했으나 다시 반복하자면, 하먼은 최근 저작 *Art and Objects* (Polity Press, 2018)에서 이 이슈를 복합화한다. 그는 객체 지향 존재론을 고수하면서 예술 분야에 있어서 인간의 해석과 수용에 흥미로운 위치를 부여한다.

26 이에 대해서는 마르쿠스 가브리엘의 『나는 뇌가 아니다』(전대호 옮김, 열린책들, 2015)를 참조하라.

27 이에 대해 더 자세한 것은 마르쿠스 가브리엘의 『왜 세계는 존재하지 않는가』(김희상 옮김, 열린책들, 2017)와 *Fields of Sense : A New Realist Ontology* (Edinburgh University Press, 2015)를 참조하라.

28 Joseph Kosuth, *Art after Philosophy and After : Collected Writings 1966-1990* (MIT Press,1991).

29 발터 벤야민, 『기술적 복제 시대의 예술 작품』(심철민 옮김, 도서출판 b, 2017).

30 T. W. 아도르노, 『미학 이론』(홍승용 옮김, 문학과지성사, 1994).

31 질 들뢰즈, 『의미의 논리』(이정우 옮김, 한길사, 1999).

32 이 개념에 대해서는 다음을 참조하라. Daniel Dennett, "Real Patterns", *The Journal of Philosophy,* Vol. 88, No.1(1991), pp.27–51

33 Andrea Kern, "Die Welt der Kunst : Diderots Konzeption ästhetischer Selbstvergessenheit", R. Langthaler/M. Hofer (Hrsg.), "Transzendentalphilosophie : Möglichkeiten und Grenzen", *Wiener Jahrbuch für Philosophie,* Band XLIV(2012).

34 이로부터 생겨나는 다양한 역설에 대해서는 다음을 참조하라. George M. Wilson, *Seeing Fictions in Film : The Epistemology of Movies* (Oxford, 2011).

35 Jean Baudrillard, *The Conspiracy of Art* (Semiotexte, 2005).

36 라투르가 그의 존재론에서 네트워크의 존재 양식에 특권을 부여하고 있는 것도 이 때문이다. Bruno Latour, *An Inquiry Into Modes of Existence : An Anthropology of the Moderns* (Harvard University Press, 2013).

37 마르쿠스 가브리엘의 『왜 세계는 존재하지 않는가』(김희상 옮김, 열린책들, 2017)와 *Fields of Sense : A New Realist Ontology* (Edinburgh University Press, 2015)를 참조하라.

38 F. W. Schelling, *Sämtliche Werke, 1.Abt, 7.Bd*(Stuttgart, Augsburg 1860), S. 347.

마르쿠스 가브리엘의 실재론적 미학

김남시

이 책은 동시대 신실재론 흐름을 대표하는 독일 철학자 마르쿠스 가브리엘이 본격적으로 예술의 문제를 다룬 첫 번째 저서다. 잘 알려져 있듯, 마르쿠스 가브리엘은 마우리치오 페라리스와 함께 신실재론New Realism이라는 철학적 흐름을 대표하고 있다. 2011년 마우리치오 페라리스와 마르쿠스 가브리엘이 조직한 콘퍼런스를 출발점으로 하는 신실재론 진영은 포스트모더니즘 이후 지식의 타당성과 정당성이 토대를 잃고 '사실은 없고 오직 해석일 뿐'이라는 아이러니한 태도가 보편화된 결과, 극단적 상대주의가 인종주의, 포퓰리즘 같은 사회적·정치적 귀결과 맞물려 작동하고 있는 현 상황에 대한 위기감에서 출발했다. 가브리엘은 "이 모든 위기를 사상적으로 극복하려면 새로운 철학적 사유의 노력이 필요하다"고 역설하며, 철학이 "시대에 적합한, 계몽된 인본주의"가 되어야 함을 강조한다. 그것을 위해 가장 중요한 과제 중 하나는 자연주의Naturalismus 의 극복이다.

> "자연주의에 따르면, 모든 참된 앎과 진보는 한편으로는 자연 과학과 다른 한편으로는 인간의 생존 조건에 대한 기술적 지배의 조합으로 환원될 수 있다. 그러나 이것은 근본적인 착각, 심지어 위험한 미망이다. 그 미망은 오늘날 이데올로기적 위기의 형태로 우리를 덮친다." [*]

『왜 세계는 존재하지 않는가』, 『나는 뇌가 아니다』, 그리고 『생각이란 무엇인가』와 같은 가브리엘의 대표 저작들은 오늘날 사유와 학문을 지배하고 있는 이 자연주의와의 대결이라고 말할 수 있다. 자연주의는 인간의 의식과 무관하게 존재하는 실재를 인정하면서도, 한 발 더 나아가 그 실재가 궁극적으로 하나의 근본적 층위로 환원될 수 있으며, 그것은 자연 과학적으로만 탐구될 수 있다고 주장한다. 이 입장에 따르면, 그렇게 물질적으로 접근 가능한 것만이 존재하며 그렇지 않은 것들, 예를 들어 인간의 생각, 기억, 가치, 규범 등은 실재하지 않는다고 주장한다. 이를 통해 자연주의적 실재론은 물질적·물리적 인과성으로 설명할 수 없는 것들, 예를 들어 '함부로 생명을 죽여서는 안 된다'

---

[*] 마르쿠스 가브리엘, 『생각이란 무엇인가』, 12쪽.

는 도덕적 진술, 수(數), 아름다움, 픽션에 등장하는 요정, 마녀 등 비물질적 실재를 존재하는 것으로 인정하지 않는다. 도덕적·미적 가치나 가치 규범은 실재성이 없고 사람들이 가치 있다고 여기게 된 관습에 불과하다고 보기에 이 입장은 가치와 규범의 상대주의나 회의주의로 이어지기 십상이다. 가브리엘이 인간의 지능이나 감정을 두뇌의 물리적·화학적·전기적 작용으로 설명하려는 '신경 중심주의', 인간 사회의 모든 일을 진화적-생물학적으로 해명하려는 생물학주의와 대결하면서 동시에 도덕적 가치나 규범에 대한 상대주의나 회의주의와도 맞서는 이유다. 가브리엘의 신실재론은 자연주의라는 막강한 상대와 대결하면서도 우리가 구성하는 것이 아닌 실재, 그것에 대해 우리가 참과 거짓을 구별할 수 있는 실재가 존재한다고 주장한다. 그가 말하는 실재에는 자연주의가 유일하게 유효한 실재라고 여기는 물리적 층위로 환원될 수 없는 미적·도덕적 가치, 규범, 허구적 존재 등도 포함된다.

이 글에서는 이러한 가브리엘 존재론을 그 주요 개념 중심으로 설명하고, 그의 예술론 개요를 소개하려 한다.

마르쿠스 가브리엘의 신실재론

가브리엘 신실재론의 가장 중요한 개념은 '의미장 Sinnfeld'이다. 독일어 'Sinnfeld'는 우리말로 보통 '의미'

라고 번역되는 'Sinn'과 '필드' 또는 '장(場)'으로 번역되는 'Feld' 두 단어로 이루어져 있다. 우리가 사용하는 단어 '의미'에는 주관적 함의가 짙게 배어 있어서, '의미장'이란 우리가 주관적으로 부여하는 '의미'에 의해 생겨나는 장이라는 오해를 불러일으키기 쉽다. 하지만 여기에 사용된 '의미Sinn'는 고틀로프 프레게가 소위 '동일성 수수께끼'를 해결하기 위해 제안한 것이다. 동일성 수수께끼란 예를 들어 '금성'은 '새벽별' 또는 '저녁별'로도 불리는데, 이들이 사실상 서로 같은 것이면서도 다르다는 사실을 어떻게 이해할 것인가라는 질문이다. 이를 해결하기 위해 프레게는 '의미Sinn'와 '지시체Bedeutung'를 구분하여, '의미Sinn'를 '주어짐의 방식Art des Gegebenseins'으로, '지시체 Bedeutung'를 '주어진 대상 자체'로 정의한다. 이에 따르면 새벽별과 저녁별은 금성이 새벽과 저녁에 서로 다르게 '주어지는 방식'으로서 금성의 '의미Sinn'가 된다. 마찬가지로 숫자 8은 4+4, 5+3, 1+7 등과 같은 것이면서도 다른데, 이때 4+4, 5+3, 1+7 등은 숫자 8이 '주어지는 서로 다른 방식'으로서 8의 '의미Sinn'인 것이다.[*] 이처럼 '의미'란 어떤 대상을 상이하게 '파악하는 방식'이 아니라, 한 대상이 상이하게 '주어지는 방식'이며 따라서 실재적이다. '의미'는 주체에 의해 부여되거나 구성되는 것이 아니라 실

---

[*] Markus Gabriel, *Die Erkenntnis der Welt. Eine Einführung in die Erkenntnistheorie,* 2016, 312.

재하는 것이다.

'주어짐의 방식'으로서의 '의미'가 실재한다는 건 중요한 존재론적 함의를 갖는다. 이는 존재하는 것은 모두 '일정한 방식으로' 존재한다는 것을, 존재하는 것은 이미 그 존재하는 방식에 의해 개별화되어 있다는 것을 의미한다. 이것이 존재론적 기술(記述)주의ontologischer Deskriptivismus 테제다. 의미에 의해 개별화되어 있지 않고 '단적으로 존재하는 것'이란 형이상학적 개념일 뿐 실재하지 않는다.

> "존재하는 것은 항상 이러이러하며 저러저러한 어떤 것이다. …… 그 어떤 것도 단지 그렇게 존재하는 것이 아니라, 이러이러하며 저러저러하다는 테제를 나는 존재론적 기술(記述)주의라고 부른다. 존재론적 기술주의는 존재하는 것은 모두 이러이러하며 저러저러한 것으로 기술될 수 있다고 상정한다."[*]

이러한 존재론적 기술주의로 인해 가브리엘의 실재론은 물리적 인과성을 따르며 물질적으로 존재하는 것만을 존재로 인정하는 자연주의와 근본적으로 갈라진다. 자연주

---

* Markus Gabriel, *Für einen nichtnaturalistischen Realismus,in Magdalena Marsyalek & Dieter Mersch (ebd.), Seien Wir Realistisch, Neue Realismen und Dokumentarismen in Philosophie und Kunst*, Zürich/Berlin, 2016, 84.

의는 존재를 물리적 인과성에 종속되어 있는 무규정적 통일체로 그것에 접근하는 인간에게 다양한 방식으로 '현상'하는 것으로 봄으로써 결국 구성주의와 연결된다. 그런 무규정적 전체에 대한 명칭이 '세계' 또는 '자연'이다. 이와는 달리 가브리엘의 존재론은 '세계'나 '자연'이라는, 모든 것을 포괄하는 무규정적 전체는 존재하지 않으며, 존재하는 것은 항상 그 존재함의 방식에 따라 개별화되어 있다고 말한다. 존재하는 것을 개별화시키는 것이 '주어짐의 방식'으로서의 의미이기에 의미는 그것을 통해 개별화되어 있는 존재와 함께 실재하며, 우리는 이렇게 실재하는 복수의 의미들 속에 겹쳐져 존재하면서 감각과 정신을 매개로 그것을 붙잡고 파악할 수 있는 것이다.

> "나는 플라톤보다 더 플라톤적으로 우리는 고갈될 수 없는 의미에 던져졌다고 주장한다. 의미는 존재하고, 사상도 존재하고, 그렇기에 우리가 그걸 파악하는 것이다. 우리가 기껏 생산해 내는 것이란 바로 이 상황, 곧 우리의 의미론적 피투성이이다. 우리는 우리 자신 없이, 다시 말해 우리가 전혀 참여하지 않으면서 생각 안으로 던져질 수 있다. 개념과 생각은 우리 손안에 있지 않다. 그것은 진리에 묶여 있다. 진리는 우리가 산출하지 않는다. 우리와 무관하게 진리가 거기 있기에 우리는 진리를 추구하는 것이다. …… 철학의 근원 단어를 변용해 말하

자면, 우리는 모든 것이 의미(신은 아니라 하더라도)로 가득 차 있다는 걸 그저 받아들일 수밖에 없다."[*]

'의미장'이란 의미에 의해 포괄되는 대상들의 영역이다. 가브리엘은 이 의미장 혹은 의미의 영역 안에 나타나는 대상들을 '존재'라고 정의한다. 의미장과 대상의 관계를 가브리엘은 '주사위 세계'의 사례로 설명한다.

"주사위 세계를 예로 들어 보자. 주사위 세계는 책상 위의 희고, 붉고, 푸른 주사위로 이루어져 있다. 철학적으로 문외한인 사람에게 책상 위 대상이 몇 개인지를 물어보면 대답은 3일 것이다. 하지만 지나가던 화학자는 주사위가 아니라 원자를 대상으로 간주해 3이 아니라 n개라고 답할 수도 있다. 다른 누군가는 주사위의 면들을 헤아리거나, 주사위 전체를 단 하나의 미술 작품으로 여길 수도 있다. 이 모든 경우 우리는 서로 다르지만 동일한 정도로 참되고 객관적으로 참된 답을 얻는다. 주사위 세계에서 의미는 그때마다 적용되는 헤아리는 규칙이다. 일반적으로 의미는 주어진 것의 방식이고, 이는 대상 영역을 동반한다. 여기서 의미는 존재하는 것

* Markus Gabriel, *Sinn, Existenz und das Transfinite, in Gabriel, M/Olay C./Ostrich, S. (Ebs.), Welt und Unendlichkeit. Ein deutsche-ungarischer Dialog in memorial Laszlo Tengelyi*, Freuburg, 2017, 198.

만큼 복수적이다. 매우 많은, 정확히 말해 초한적으로 (Transfinite) 많은 의미가 존재한다. 주사위 세계가 보여 주듯, 대상들보다 더 많은 의미가 있다."[*]

'주사위 세계'를 누군가는 3개의 주사위로, 다른 누군가는 n개의 주사위로, 또 다른 이는 예술 작품이라고 답한다고 해서, 이를 하나의 동일한 대상을 보는 서로 다른 수관적 관점들이라고 이해하면 구성주의에 빠지게 된다. 하나의 동일한 무규정적 대상이 그것을 보는 자들에 의해 다르게 구성되는 것이 아니라 '주사위 세계'가 이미 (위 세 가지 대답보다 훨씬 더 많은) 복수의 의미들로, 서로 다른 주어짐의 방식들로 존재하는 것이다. 우리는 감각이나 생각을 통해 그 초한적으로 많은[**] 의미와 접할 수 있는데, 그러면 그 의미에 의해 펼쳐지는 장 속에서 대상들이 우리에게 나타나게 된다. 그 의미장 안에 나타나는 것이 '존재'다. '의미'가 어떤 대상들이 장 안에 나타날지를 해명하는 규칙으로 기능한다는 점에서 가브리엘은 이를 '질서지우는 규

---

[*] Markus Gabriel, *Sinn, Existenz und das Transninite*, 위의 책, 196.

[**] '초한Transfinite' 개념은 칸토어의 집합론에서 나온 것으로, 무한이 질적으로 규정되어 수학의 영역을 벗어나 실체화된다면, 초한은 '자연수의 집합'처럼 아무리 큰 집합이더라도 그보다 더 큰 집합이 존재하기에 수학적으로 규정되는 '증가 가능한 실무한實無限, Aktual-Undenliches'이다. Markus Gabriel, *Sinn, Existenz und das Transfinite,* 위의 책, 199.

칙Anordnungsregel'이라고도 부른다.[*] 의미장은 질서지우는 규칙에 의해 열리고, 그 규칙들이 그 장에 무엇이 나타나고 나타나지 않는지를 해명해 준다.

> "자연수 계열의 질서지우는 규칙은 3이라는 숫자가 왜 2와 4 사이에 등장하는지를, 서양 근대사의 질서지우는 규칙은 재통일된 독일 연방 공화국이 왜 존재하는지를, 소립자 물리학의 배치 규칙은 왜 업 쿼크가 존재하는지를 이해하게 해 준다. 나는 이런 질서지우는 규칙을 '의미', 그리고 이 규칙의 계열 내에 존재하는 영역을 '장'이라고 부른다."[**]

자연주의는 실재하는 초한적인 의미장들 중 물질적 방식만을 특권화해 물질적 의미장 안에 나타나는 것만을 존재하는 것이라 주장한다. 하지만 존재하는 것들은 물질적 방식으로만 존재하지 않는다. 행성들이 물질적 방식으로 존재한다면, 수는 추상적 방식으로 존재하고, 요정은 상상적 방식으로 존재한다. 이 테제가 가브리엘 실재론의 특징인 존재론적 다원주의다. 존재는 이처럼 다양한 방식으로 존재하는데 자연주의는 이 중 물질적 방식으로 존재하는 것만을 실재하는 것이라고, 다른 것들은 그 효과나 파생

---

* Markus Gabriel, *Für einen nichtnaturalistischen Realismus*, 위의 책, 82.

** Markus Gabriel, 위의 책, 62.

물로 보면서 그 사이의 위계를 설정한다. 이와는 달리 가브리엘의 실재론은 의미장들 사이에 어떠한 존재론적 위계도 상정하지 않는 중립적 실재론이다.

> "업 쿼크[*], 손, 독일 연방 공화국, 과거, 「파우스트 제1부」의 인물과 사건, 도덕적 사실도 우리가 그에 대해 참된 신념을 갖는 것이 가능한 대상 영역에 속한다. 업 쿼크와 퀘이사[**]가 그에 대한 우리의 생각보다 더 정확하게 존재하고 있는 것은 아니고, 존재함에 있어 도덕적 혹은 미적 사실보다 더 우월한 것도 아니며, 그에 대한 우리의 생각을 참이나 거짓이게 하는 데 더 적합한 것도 아니다. 도덕적 사실과 물리학적 사실 사이에 존재론적(존재와 관련하여) 격차는 없으며, 참이 될 수 있는 도덕적 언명을 정식화하기 위해 전자가 어떤 식으로든 후자에 결부되어야 하는 것도 아니다."[***]

실재는 이 초한적인 의미장들이 겹쳐져 만들어지는 앙상블이다. 우리 자신 역시 그렇게 중첩되어 있는 의미장들 안에 존재한다. 지각하고, 행위하고, 사고하고, 향유하는

---

[*]   물질의 주성분으로 기본 입자인 쿼크들 중 가장 가벼운 쿼크. ‒위키백과
[**]   블랙홀이 주변 물질을 집어삼키는 에너지에 의해 형성되는 거대 발광체. ‒위키백과
[***]   Markus Gabriel, 위의 책, 62.

동안 우리는 그 다양한 의미장 사이에서 움직인다. 이로부터 가브리엘 실재론의 또 하나의 테제가 도출된다. 직접적 실재론이다. 직접적 실재론이란 "우리에게 대상들은 지각을 매개로 개념적으로 왜곡되지 않은 채 접근 가능하다"[*]는 테제다. 전통적인 철학은 인식 주체와 그 주체가 마주하는 세계를 구분하고, 지각은 세계가 아니라 인식 주체 내부에서 일어나며, 그렇기에 주관적인 것이라 주장했다. 칸트는 우리는 결코 물 자체를 알 수 없으며, 우리가 경험하는 건 오로지 '우리에게 현상하는 것', 그래서 주체에게만 타당한 것이라 주장하면서 구성주의와 자연주의로의 길을 열었다. 가브리엘의 신실재론은 이러한 구분에 문제를 제기한다.

태양을 지각하는 경우를 들어 이야기해 보자. 태양은 나와 분리되어 나로부터 동떨어져 있는 객체가 아니라, 나의 피부에 온기와 자외선을 전달하는 방식으로, 또한 나의 눈으로 볼 수 있을 만큼 나를 자신 속에 연루시키고 있는 장이다. 나는 그 태양의 장 내부에 있는 나의 위치에서 태양-장의 속성을 감지한다. 지각은 '내 몸 내부의 물리적 힘과 태양 장의 물리적·광학적 작용의 상호 작용'에서 생겨난다. 그것을 통해 생겨난 나에게 보이는 태양, 손으로도 가릴 수 있을 만큼 작은 반점은, 내 몸의 물리적·생리적 힘과 태양 장의 물리적·광학적 작용이 중첩하여 생겨난 '지

---

[*]   Marcus Gabriel, *Die Erkenntnis der Welt*, 310.

각적 환영'이다. '환영'이라고 해서 전적으로 주체에게만 있는 주관적 표상과는 다르다. 이 지각적 환영은 '광학, 기하학, 신경 과학, 시 과학, 의학, 심리학' 등에 의해 그 형태와 원인 등이 분석되고 연구될 수 있는 실재적 대상이기 때문이다. 가브리엘의 지각 이론은 대상을 주체와 분리해 외부에 위치시키고, 그것과의 접촉에서 생겨난 표상을 전적으로 주체에게 귀속시키는 주-객 인식론과 근본적으로 구분된다. "지각은 직접적으로 대상과 관계를 맺는 것이지 (늘 잠재하는) 왜곡하는 필터에 대한 대상의 영향력인 것만이 아니다."[*] 지각적 환영은 인식 주체에 의해 필터링/왜곡된 대상의 이미지가 아니라 주체와 동일한 장에서 접촉의 결과 실재로부터 추출한 표본인 것이다.

이와 관련해 주목할 만한 것은 우리의 신체감각뿐 아니라 생각하기Denken도 실재와 접하는 하나의 감각이라는 테제다.

> "우리는 오늘날 알려진 감각 양태(듣기, 보기, 만지기, 맛보기, 냄새 맡기 또한 평형 감각과 기타 다른 감각)와 더불어 생각하기의 감각도 지녔다. 나는 이 주장을 다음과 같은 누스콥Nooskopthese 논제로 발전시킬 것이다. 즉 우리의 생각하기는 하나의 감각이며 우리는 그 감각을 통해 무한을 탐사하면서 수학을 비롯한 여러 방식으

---

[*] Marcus Gabriel, *Die Erkenntnis der Welt*. 310

로 표현할 수 있다. 요컨대 우리의 생각하기는 다른 감각들처럼 한계가 있거나 가까운 환경에 국한되어 있지 않다. 오히려 생각하기는 (이를테면 양자 역학의 형태로) 심지어 다른 우주들과도 관련 맺을 수 있고 우리 우주의 수학적 기본 구조를 이론 물리학의 언어로 파악할 수도 있다. 그러므로 우리의 누스콥은 신체적 실재를 넘어서 우리를 무한과 연결한다."[*]

  "우리는 생각감각Denksinn을 지녔다. 생각감각은 고전적인 다섯 개의 감각과 동등한 여섯 번째 감각이다"[**]라는 가브리엘의 주장은, 우리의 생각하기Denken가 자의적이고 제멋대로 이루어지는 것이 아니라 그 자체로 실재성을 지닌 생각Gedanke[***]을 붙잡는 것이라는 테제와 통한

---

* 마르쿠스 가브리엘, 『생각이란 무엇인가』, 39쪽.
** 마르쿠스 가브리엘, 『생각이란 무엇인가』, 127쪽.
*** 생각의 실재성에 대해서는 『생각이란 무엇인가』와 『Sinn und Existenz』를 참조하라. 『Sinn und Existenz』에는 다음과 같은 문장이 나온다. "생각은 참이거나 거짓이라고 하는 속성을 통해 개별화되어 있고 개념적 의미를 통해 서로 구별되어 있는 의미장 안에 나타나는 대상들로서 실재한다.""우리는 화산과 다른 사물들에 대해 그들을 봄으로써 숙고 Nachdenken할 수 있을 뿐 아니라 생각Gedanke에 대해서도 숙고할 수 있다. 생각에 대해 숙고하면 그 생각들은 우리에게 특정한 방식으로 '현상의 형태Form des Erscheinens'의 모드로 나타난다. 생각들은 그 생각에 침투해 있는 주어진 것의 종Arten des Gegebenseins에 의해 규정된다. 생각은 우리가 그것을 생각할 때 붙잡는 양상으로 강고한 성질의 다수성과 함께한다. 하나의 생각은 모든 다른 대상과 마찬가지다. 생각은 상이한 방식으로 주어질 수 있으며, 그것을 통해 정보적으로 더 높은 단계의 생각을 가질 수 있게 한다."

다. 이는 아래에서 살펴볼 예술에 대한 논의와도 밀접하게 관련되어 있다.

의미장과 예술

이미 실재하는 의미장들 속에 중첩되어 살아가고 있는 우리는 신체감각들과 생각감각을 통해 매 순간 실재와 접하고 있다. 태양을 지각할 때 우리가 태양의 장 안에 있듯, 태양에 대해 생각할 때 우리는 태양이 존재하는 또 다른 방식으로서의 철학적 의미장에 진입한다. 어떤 윤리적 문제를 생각하는 순간 우리는 그 윤리적 의미장에 들어가 그 안에 등장하는 대상들과 접한다. 지각은 우리 자신과 신체적으로 또 정신적으로 겹쳐 있는 의미장 내에서 일어나는 사건이며, 그 지각을 통해 우리는 실재하는 대상들과 직접 접촉하는 것이다. 그렇다면 예술 작품을 지각한다는 것은 무엇을 의미할까? 예를 들어 모네의 「인상, 해돋이」를 볼 때 우리의 신체는 캔버스 위 물감들이 광학적으로 만들어 내는 지각의 장 내에 존재하며, 나의 시각, 촉각, 후각 등의 감각 레지스트리를 통해 그 작품의 광학적·화학적 작용과 관계 맺는다. 그런데 내가 이 캔버스에서 보는 것은 '태양에 대한 지각적 환영'이다. 그것은 모네가 그 그림을 그린 날 태양의 장 내 특정한 위치에 자리 잡고, 특정한 신체적 상태로 그 태양의 장과 관계함으로써 생겨난 결과물이다.

다시 말해, 그것은 모네의 신체가 태양의 장과 맺었던 관계의 산물이다. 모네의 「인상, 해돋이」에는 '작가가 의미장에서 대상과 맺었던 관계'가 구현되어 있다. 「인상, 해돋이」에서 우리가 지각하는 건 태양에 대한 모네의 '지각적 관계'다. 그 작품을 감상하는 우리는 모네의 '지각적 관계'에 대해 '지각적 관계'를 맺는 것이다.

그렇다고 예술 작품을 접할 때 우리가 그 물리적·물질적 층위만 지각하는 것은 아니다. 예술 작품은 한편으로는 우리가 지각할 수 있는 물질적 요소(캔버스, 물감, 소리, 흙, 나무, 돌 등)를 가지고 있지만 동시에 비물질적 층위를 가진다. 그것이 콤퍼지션이다. 예술 작품은 서로 다른 의미장들의 콤퍼지션이다. 콤퍼지션은 의미장들이 결합되는 방식이다. 하나의 예술 작품이 어떤 의미장들을 어떻게 결합하는지는 작품마다 다르다. 이것이 모든 예술 작품을 유일무이한 개별자로 만들어 준다. 한 작품의 콤퍼지션은 오로지 그 예술 작품 내에서만 이해될 수 있으며, 그 작품 외부의 어떤 규칙이나 규범으로부터도 도출되지 않는다. 이 점에서 콤퍼지션은 예술 작품의 급진적 자율성을 이루는 핵심이다.

> "사건 구조로서의 예술 작품은 급진적으로 자율적인 개별자들이다. 예술 작품은 스스로에게 자신의 법칙을 부여하며 그것을 통해 개별화된다. 사건 구조로서의 예술

작품의 급진성은, 한 예술 작품이 다른 것과 혼동될 수 있게 한다. 모든 예술 작품은 작품이 아닌 것으로 여겨질 수 있다. 우리가 콤퍼지션을 보지 못하고 대신 하나의 사물, 아마도 예쁜 사물을 찾았다고 믿는다면 그런 일이 일어난다."[*]

따라서 예술 작품을 접한다는 건 우리의 신체감각을 매개해 작품의 물질적 요소들을 (그 요소들이 대상으로 등장하는 의미장들 속에서) 지각하는 것일 뿐 아니라 우리의 생각감각을 매개로 그 콤퍼지션이 함께 엮어 내는 의미장들과 관계를 맺는 것이다. 우리의 신체와 생각감각은 그 예술 작품이 엮어 낸 의미장들 속에 들어가 그 안에 등장하는 대상들을 탐색하고, 붙잡고, 숙고한다. 이것이 '해석'이다. 그렇기에 예술 작품의 해석은 우리가 예술 작품 내부로, 그 예술 작품이 엮어 내는 의미장들 속으로 들어가야만 가능하다. 해석은 우리가 그 작품의 일부가 되는 일이다.

"예술 작품을 지각하려면 당신은 그것을 해석해야 한다. 다시 말해 그것을 수행해야 한다. 교향곡을 듣는 건 그 교향곡의 일부이고, 피카소의 조각을 보는 건 그 조

---

* Markus Gabriel, *Kunst und Metaphysik. Tanz mit mir, Kunst und Kircher*, 2016/04, 6.

각의 일부이며, 고급 레스토랑의 음식을 맛보는 것은 그 음식의 일부다. (한 예술 작품의 콤퍼지션에 관해 생각하는 경험을 포함하는) 우리의 경험이 예술 작품의 자기 구성에 참여하는 이 방식을 전통적으로는 미적 경험이라 불렀다. 문제는 미적 경험이 우리를 완전히 예술 작품 속으로 빨아들인다는 데 있다. 그렇게 예술 작품의 일부가 되면 우리는 거기서 벗어나지 못한다. 인간은 자율적 방식으로는 예술 작품에 들어가거나 그것을 떠날 능력을 갖고 있지 않다."[*]

예술 작품의 콤퍼지션은 그것을 창조한 예술가의 의도 없이는 존재할 수 없다는 점에서 예술은 인간이 만들어 낸 것이다. 하지만 창작자 역시 창작 과정에서 (첫 번째 해석자로서) 작품을 해석해야 하고 이때 그는 예술 작품에 짜 넣어지는 실재하는 의미장들 속에 들어가야만 한다. 완성된 자신의 작품이 이후 어떻게 수용되고 해석될지를 작가가 전혀 예견하거나 컨트롤할 수 없다는 건 말할 필요도 없다. 예술 작품은 작가의 의도와는 독립적으로 해석되고, 감상자의 감각을 매개해 실재에 대해 숙고하게 만들기 때문이다. 이러한 예술의 힘은 특히 작품에 대한 미적 경험에서 분명하게 드러난다.

---

[*] 이 책 83~84쪽.

"우리가 오페라 티켓을 구매할 수 있고 공연 도중 극장을 떠날 수 있다는 건 분명하다. 하지만 예술 작품으로서의 오페라에 들어가거나 떠난다는 의미는 이런 것이 아니다. 예술 작품이 자기 앞에 있으나 그것을 좀처럼 이해하지 못하는 경험은 누구든 해 보았을 것이다. 그 예술 작품으로 들어가는 길을 찾지 못하고 그 아름다움도 이해하지 못하는 것이다. 우리가 예술 작품 속으로 빨려 들어갈지 아닐지는 예술 작품의 힘에 달려 있다. 어떤 준비를 하든 우리에게 이 힘이 보장되지는 않는다. 예술의 역사를 익힌다고 주어진 예술 작품을 위한 준비가 갖추어지지는 않는다. 지적인 훈련은 이론적 분석에 도움이 되고 미적 경험에 대한 정보를 줄 수는 있다. 그러나 미적 경험은 사전 훈련 없이도 가능하다. 달리 말하자면, 미적 경험은 일어나거나 일어나지 않는 것이다. 미적 경험이 일어난다면 그것은 예술 작품 내부에서 일어나는 운동이다. 즉 미적 경험에는 관람자가 없다."[*]

작품에 대한 미적 경험은 우리가 그 작품이 엮어 낸 의미장들 속에 들어가 작품의 일부가 되어야만 가능하며, 이는 작품 앞에서의 신경 자극과 심리적 반응들로 환원해 설명될 수 없다. 작품에 빨려 들어갈지 아닐지는 우리가 아닌 작품의 힘에 달려 있기에 우리는 예술 앞에서 자율적인 주

---

[*] 이 책 84쪽.

체가 아니게 된다. 이는 예술 작품이 그 어떤 외부의 규칙이나 규범에 의거하지 않고, 스스로 자기 자신의 법칙을 부여하는 급진적으로 자율적인 존재이기 때문이다. 감상자는 물론 창작자도 이러한 예술 작품의 급진적 자율성에 종속된다. "예술 작품을 창조하는 건 우리가 아니다. 예술 작품 스스로가 존재하기 위해 우리를 참가자로서 창조하는 것이다. 예술 작품은 자신의 도래를 앞서 예고하지도 않는다. 예술은 그 존재의 외적인 어떤 이유도 없이 그냥 거기에 있다. 우리는 그것에 저항할 수도, 그것을 없애 버릴 수도 없다."[*] 인간으로서의 우리의 자율성을 위협할 수도 있는 예술의 힘은 그래서, 위험한 것이기도 하다.

가브리엘이 이렇게 예술의 급진적 자율성을 강조하는 이유는 그의 신실재론이 자연주의와 구성주의라는 두 흐름과 대결하고 있다는 사실과 관계가 깊다. 예술과 관련하여 자연주의가 예술 작품의 가치를 작품에 대한 피험자의 신경 자극이나 심리적 반응으로 환원해 설명한다면, 구성주의는 예술 작품의 가치는 보는 자의 눈에 있고 제도적으로 승인되는 것일 뿐이라고 주장한다. 이 두 입장은 예술 작품의 가치가 신체적 자극이나 지각을 넘어서는, 실재하는 의미장과의 관계에서 생겨나며, 작품에 미적 가치를 부여하는 것이 우리가 아니라 예술 작품이라는 사실을 간과한다. 감상자로 하여금 그것을 해석할 수밖에 없게 하는 예술 작

---

[*] 이 책 98쪽.

품은, 자신의 실현을 위해 인간을 자신 속으로 끌어들이는 절대자에 가깝다.

> "예술의 자율성은 우리의 호의 따위에 의한 게 아니다. 누구건 어떤 것을 승인하고 그것을 예술 작품으로 하는 것이 아니다. 예술가도, 수용자도, 큐레이터도, 예술 시장도 나아가 그들 모두(단토가 예술계라 불렀던)도. 어떤 것도 마법의 손가락을 가지고 있는 것이 아니다. 그렇기에 예술 작품은 절대자의 주변에서 숨을 쉰다. 이것이 독일 관념론의 영웅시대 예술 철학의 근본이념이었다."[*]

---

* Markus Gabriel, *Kunst und Metaphysik. Tanz mit mir, Kunst und Kircher*, 2016/04, 6.

예술의 힘
마르쿠스 가브리엘 지음 / 김남시 옮김

초판 1쇄 발행 2022년 2월 14일
초판 3쇄 발행 2024년 4월 25일
교정·교열 신윤덕 / 디자인 김미연 / 제작 세걸음
펴낸이 박세원 / 펴낸곳 ㅇㅣㅂㅣ
출판 등록 2020-000159(2020년 6월 17일)
주소 서울시 종로구 창덕궁4길 4-1. 401호
전화 010-3276-2047 / 팩스 0504-227-2047
전자우편 2b-books@naver.com
블로그 https://blog.naver.com/2b-books
인스타그램 @ether2bbooks

잘못되거나 파손된 책은 구입하신 서점에서 교환해드립니다.
ISBN 979-11-971644-4-6.